中華國學經典百部

精華本

国语

［春秋］左丘明 著

王光波 译注

中国书店

图书在版编目（CIP）数据

国语 /（春秋）左丘明著；王光波译注 . —北京：中国书店，2023.10

（中华国学经典百部：精华本）

ISBN 978-7-5149-2963-8

Ⅰ . ①国… Ⅱ . ①左… ②王… Ⅲ . ①中国历史—春秋时代—史籍②《国语》—译文 Ⅳ . ① K225.04

中国版本图书馆 CIP 数据核字（2022）第 075474 号

国语

〔春秋〕左丘明 著　王光波 译注

责任编辑：赵小波

出版发行：中国书店

地　　址：北京市西城区琉璃厂东街 115 号

邮　　编：100050

电　　话：（010）63171753（总编室）

（010）63017857（发行部）

印　　刷：三河市嘉科万达彩色印刷有限公司

开　　本：787mm × 1092mm　1/32

版　　次：2023 年 10 月第 1 版第 1 次印刷

字　　数：124 千

印　　张：6（全 300）

书　　号：ISBN 978-7-5149-2963-8

定　　价：1490.00 元（全 50 册）

前言

《国语》是我国古代最早的一部国别体史书。它主要记载了西周穆王犬戎（约公元前976年）至韩、赵、魏灭智伯（公元前453年）大约五百三十年的历史。全书包括《周语》《鲁语》《齐语》《晋语》《郑语》《楚语》《吴语》《越语》。围绕历史事件、人物言谈，生动地记载了八个诸侯国的“邦国成败、嘉言善语”，因此被命名为“国语”。

《国语》与《左传》在内容上相辅相成，《左传》主要记叙重大历史事件，《国语》则注重记叙当时历史人物的一些言论。由于《左传》是《春秋》三传之一，因此被称为《春秋内传》，而《国语》则被称为《春秋外传》。《国语》反映了两周时期周王室和其他诸侯国的政治、经济、军事、外交、文化、风俗等方面的情况，具有很重要的历史价值。其次，《国语》开创了以国叙事的国别体先例，对后世的历史文学产生了深远影响。

本书以记录春秋时代的历史故事为主，写各国君主处理国事、与众臣之间发生的逸事，字里行间蕴含着深刻的哲学思想。全书以施行道德感化为主，教育国君在处理各种社会关系时应该具备怎样的道德，以及作为臣子该如何侍奉君主。

如君主要善于纳谏，善于和臣民沟通，要施惠于民；还要勤政爱民，以德服人；同时要做到重人轻物。而身为臣子要学会主动为君主分忧，要懂得谦让，面对利益时能够保持一颗无私的心；进谏时应懂得如何进退，做到功成身退。

本书在内容上具有非常强的伦理倾向，弘扬德的精神，宣扬尊崇礼的规范，认为“礼”是治国的根本。此外，此书的政治观比较进步，反对专制和腐败，重视民意，重视人才，反映了很浓重的民本思想。

《国语》具有很高的文学价值，语言简洁、精练，笔法生动、传神，叙述各国历史，详略各不相同，各具特色，刻画出一个个形象丰满、个性突出的人物。限于篇幅，本书为《国语》的节译本，以史料的历史连贯性、思想性、文学性与教育性为取舍原则。若有不当之处，敬请批评指正！

目录

周语

鲁语

齐语

晋语

郑语

楚语

吴语

越语

周语

祭公谏穆王征犬戎

【原文】

穆王将征犬戎，祭公谋父谏曰："不可。先王耀德不观兵。夫兵戢而时动，动则威，观则玩，玩则无震。是故周文公之《颂》曰：'载戢干戈，载櫜[①]弓矢。我求懿德，肆于时夏，允王保之。'先王之于民也，懋正其德而厚其性，阜其财求而利其器用，明利害之乡，以文修之，使务利而避害，怀德而畏威，故能保世以滋大。

"昔我先王世后稷[②]，以服事虞、夏。及夏之衰也，弃稷不务，我先王不窋用失其官，而自窜于戎、狄之间，不敢怠业，时序其德，纂修其绪，修其训典，朝夕恪勤，守以敦笃，奉以忠信，奕世载德，不忝前人。至于武王，昭前之光明而加之以慈和，事神保民，莫弗欣喜。商王帝辛，大恶于民，庶民不忍，欣戴武王，以致戎于商牧[③]。是先王非务武也，勤恤民隐而除其害也。

"夫先王之制：邦内甸服，邦外侯服，侯、卫宾服，蛮、夷要服，戎、狄荒服。甸服者祭，侯服者祀，宾服者享，要服者贡，荒服者王。日祭、月祀、时享、岁贡、终王，先王之训也。有不祭则修意，有不祀则修言，有不享则修文，有不贡则修名，有不王则修德，序成而有不至则修刑。于是乎有刑不祭，伐不祀，征不享，让不贡，告不王。于是乎有刑罚之辟，有攻伐之兵，有征讨之备，有威让之令，有文告之辞。布令陈辞而又不至，则增修于德而无勤民于远，是以近无不听，远无不服。

“今自大毕、伯士④之终也，犬戎氏以其职来王，天子曰：‘予必以不享征之，且观之兵。’其无乃废先王之训而王几顿乎！吾闻夫犬戎树惇，帅旧德而守终纯固，其有以御我矣！”王不听，遂征之，得四白狼、四白鹿以归。自是荒服者不至。

【注释】

①櫜（gāo）：收藏弓箭的袋子。这里用作动词，指用袋子装东西。

②后稷（jì）：上古时掌农事的官名，相传周王室的始祖曾长期担任此职。

③商牧：指商都近郊的牧野，商王朝军队曾经与周武王率领的诸侯联军在此决战。

④大毕、伯士：犬戎族的首领。

【译文】

周穆王要去征讨犬戎，祭公谋父阻拦说：“不可以这样做。先王利用道德感化天下而不是依靠武力征服天下。在平时的时候要隐藏军队，在合适的时机再动用武力，这样才会显示出军队的威力，如果炫耀就会滥用，那样就会失去威慑作用。所以周公的《颂》诗说：‘收起盾和戟，藏好弓和矢，我只希望让美德遍及全国，相信大王一定会守住疆土。’先王鼓励百姓端正德行和敦厚品行，广开财路以满足百姓需求，让他们有满意的器物可以使用，显示出利害所在，凭借礼法来教育他们，使他们懂得是非、怀念君王的恩德并且能够畏惧君王的威严。因此先王能够长保自己的霸业并日益强大。

“以前先王世代担任农官并且尽心为虞、夏做事。到夏朝时农事衰败，先王因此失去官职，只好在戎狄接邻的地方住下来。他不敢放弃祖业，经常反省自己的德行，继承祖先的业绩，维护他们的制度，时刻勤勉，在立德立业上做得超过前人。到了武王时期，继续发扬光大先人的美德，敬奉神灵、保护民众，神人都会感到喜悦。而商王帝辛则被百姓深恶痛绝，他的统治十分残暴，所以百姓都乐于拥护武王，武王于是出兵商郊牧野。由此可见先王并不是崇尚武力，只是因为体恤百姓的忧患而除去了他们的祸患。

“先王制度规定，在王畿内外分为甸服、侯服，侯服之外是宾服，夷蛮的地方是要服，戎狄地方是荒服。属甸服的是供日祭，属侯服的是供月祀，属宾服的是供时享，属要服的是供岁贡，属荒服的有朝见天子的责任。这每天的一次祭、每月的一次祀、每季的一次享、每年的一次贡和一生一次的朝见天子的礼仪都是先王定下的。假如甸服不履行义务，天子就应该内省自己；如果侯服不履行义务，天子就应该检查自己的号令；如果宾服不履行义务，天子就应该检查法律规章；如果要服不履行义务，天子就应该检查名号尊卑；如果荒服不履行义务，天子就应该内省自己的德行，做完以上的条令后，还有不履行义务的才能依法处置。所以，才会有惩罚不祭、讨伐不祀、征讨不享、谴责不贡、告谕不朝的措施，才会有惩罚的刑法、军队、装备、严令、晓谕的文辞。假如颁布了这些法令、文告后还有不履行义务的，那就要再一次地内省自己的品行而不应该轻易劳民远征。这样，所有的诸侯、诸王都会听从、信服。

“如今自从大毕、伯士去世以后，犬戎的君长一直都按照荒服的义务来拜见，但天子说：‘我将要以不享的罪名前去讨伐他们，并向他们显耀军事力量。’这难道不是放弃王的遗训从而败坏王业吗？我听说犬戎性情十分纯朴，能够遵守先人的德行，所以说他们是有能力抵御我们的。”周穆王非但没有听从劝告，反而前去征讨犬戎，结果后来只得到了四只白狼、四只白鹿这些战利品，但从此荒服地区的诸侯就再也不来拜见了。

邵公谏厉王弭谤

【原文】

厉王虐，国人[①]谤王。邵公告曰：“民不堪命矣！”王怒，得卫巫[②]，使监谤者，以告，则杀之。国人莫敢言，道路以目。王喜，告邵公曰：“吾能弭谤矣，乃不敢言。”邵公曰：“是障之也。防民之口，甚于防川。川壅而溃，伤人必多，民亦如之。是故为川者决之使导，为民者宣之使言。故天子听政，使公卿至于列士献诗，瞽[③]献曲，史[④]献书，师箴，瞍[⑤]赋，蒙诵，百工[⑥]谏，庶人传语，近臣尽规，亲戚补察，瞽、史教诲，耆、艾[⑦]修之，而后王斟酌焉，是以事行而不悖。民之有口，犹土之有山川也，财用于是乎出；犹其有原隰衍沃也，衣食于是乎生。口之宣言也，善败于是乎兴，行善而备败，其所以阜财用、衣食者也。夫民虑之于心而宣之于口，成而行之，胡可壅也？若壅其口，其与能几何？”王不听，于是国莫敢出言。三年，乃流王于彘。

【注释】

①国人：当时对居于国都的人的通称。

②卫巫：卫地的巫师。

③瞽（gǔ）：盲人乐官。

④史：史官。

⑤瞍（sǒu）：无眸曰瞍。

⑥百工：主管营建制造等事务的官职。

⑦耆（qí）、艾：指老年人、老臣。

【译文】

周厉王非常残暴，全国上下都指责他。邵公说：“百姓已经承受不了他的暴政了。”厉王知道后十分生气，便找来巫师，监视指责他的人，凡有禀告，便杀死他们。国人再也没有谁敢说话，路上遇见就用眼色来示意。厉王非常高兴，对邵公说：“我能止谤，这些人不再敢讲了。”邵公说：“你塞住了他们的嘴巴。这要比堵塞河流还要可怕数倍。河流若被堵住导致决口，受伤的人一定多，民众也是一样。所以治理河流者应注重使河道疏通，治理百姓者要学会听取百姓意见。因此天子处理政事，要让列卿列士能够呈献出民间诗歌，乐官能够呈献出民间乐曲，史官能够呈献出史书，师氏能够进箴言，瞍者可以朗诵，蒙者能够吟咏，百官能够劝谏，平民的议论能够顺利上达，近臣能做到尽心规劝，宗室姻亲可以补过纠偏，乐官、史官要施行教诲，元老重臣要负责劝诫监督，然后天子再考虑取舍，这样政事才会施行顺利，而不违背情理。百姓有嘴，就像土地有高山河流一样，钱财用品都由此而产出；又像大地上有平川沃野一样，衣服食物都由此而产出。只有百姓发表意见，政事的好与坏才能借以反映，才能够做好事而预防不测，才能使得生活富足。百姓在心里所考虑的在口头上说出来，这是很自然的行为，不能强行阻塞，如果不让他们说话，那朝政还能支撑多久？”厉王不听，然后国都里没有人敢说话，过了三年，国人就把厉王放逐到彘地去了。

芮良夫论荣夷公专利

【原文】

厉王说荣夷公，芮良夫曰：“王室其将卑乎！夫荣公好专利而不知大难。夫利，百物之所生也，天地之所载也，而或专之，其害多矣。天地百物，皆将取焉，胡可专也？所怒甚多，而不备大难，以是教王，王能久乎？夫王人者，将导利而布之上下者也，使神人百物无不得其极，犹日怵惕，惧怨之来也。

故《颂》[①]曰：‘思文后稷，克配彼天。立我蒸民，莫匪尔极。’《大雅》[②]曰：‘陈锡载周。’是不布利而惧难乎？故能载周，以至于今。今王学专利，其可乎？匹夫专利，犹谓之盗，王而行之，其归鲜矣。荣公若用，周必败。”

既，荣公为卿士，诸侯不享，王流于彘。

【注释】

①《颂》：《诗·周颂·思文》，这是一首周人祭祀其始祖后稷的乐歌。

②《大雅》：《诗·大雅·文王》，这是一首颂扬周文王功绩的诗歌。

【译文】

周厉王看重荣夷公，芮良夫说："王室要衰败了！荣夷公只想独占财利而不知有大难。利益都是在万物中繁衍出来的，都是由天地所养育的，如果想要独占它，就会带来很多怨恨。天地万物，每个人都可以取用，怎么可以独占呢？独占就会触怒太多的人，却又不防患于未然，用这种思想教导天子，天子的统治能长久吗？治理天下的人，应该广开利益从而分配给所有人，使世间万物都能得到应得的一份，即使这样做了尚且还在担忧，担心招来怨恨。

所以《颂》诗说：'文德兴盛的后稷啊，功堪比天；让百姓好好地生存，都能受到恩惠。'《大雅》说：'广泛地施德，奠定了周朝。'这不正是布施恩惠所保持戒惧的心吗？所以开创王业才能延续至今。现在陛下想独占财利，这行吗？普通人独自拥有财利，都被称为盗贼，作为天子，那样归顺王室的人就少了。荣夷公如果会被重用，周朝一定就会衰败。"

不久后，荣夷公当上了卿士，但诸侯都不来拜见献享了，很快厉王就被放逐到了彘地。

富辰谏襄王以狄伐郑及以狄女为后

【原文】

襄王十三年，郑人伐滑[1]。王使游孙伯请滑，郑人执之。王怒，将以狄伐郑。富辰谏曰："不可。古人有言曰：'兄弟谗阋，侮人百里。'周文公之诗曰：'兄弟阋于墙，外御其侮。'若是则阋乃内侮，而虽阋不败亲也。郑在天子，兄弟也[2]。郑武、庄有大勋力于平、桓；我周之东迁，晋、郑是依；子颓之乱，又郑之繇定。今以小忿弃之，是以小怨置大德也，无乃不可乎！且夫兄弟之怨，不征于他，征于他，利乃外矣。章怨外利，不义；弃亲即狄，不祥；以怨报德，不仁。夫义所以生利也，祥所以事神也，仁所以保民也。不义则利不阜，不祥则福不降，不仁则民不至。古之明王不失此三德者，故能光有天下，而和宁百姓，令闻不忘。王其不可以弃之。"王不听。十七年，王降狄师以伐郑。

王德狄人，将以其女为后。富辰谏曰："不可。夫婚姻，祸福之阶也。由之利内则福，利外则取祸。今王外利矣，其无乃阶祸乎？昔挚、畴之国也由大任，杞、缯由大姒，齐、许、申、吕由大姜，陈由大姬，是皆能内利亲亲者也。昔鄢之亡也由仲任，密须由伯姞，郐由叔妘，聃由郑姬，息由陈妫，邓由楚曼，罗由季姬，卢由荆妫，是皆外利离亲者也。"

王曰："利何如而内，何如而外？"对曰："尊贵、明贤、庸勋、长老、爱亲、礼新、亲旧。然则民莫不审固其心力以役上令，官不易方，而财不匮竭，求无不至，动无不济。百姓兆民，夫人奉利而归诸上，是利之内也。若七德离判，民乃携贰，各以利退，上求不暨，是其外利也。夫狄无列于王室，郑伯南也，王而卑之，是不尊贵也。狄，豺狼之德也，郑未失周典，王而蔑之，是不明贤也。平、桓、庄、惠皆受郑劳，王而弃之，是不庸勋也。郑伯捷之齿长矣，王而弱之，是不长老也。狄，隗姓也，郑出自宣王，王而虐之，是不爱亲也。夫礼，新不间旧，王以狄女间姜、任，非礼且弃旧也。王一举而弃七德，臣故曰利外矣。《书》有之曰：‘必有忍也，若能有济也。’王不忍小忿而弃郑，又登叔隗以阶狄。狄，封豕豺狼也，不可猒也。”王不听。

十八年，王黜狄后。狄人来诛杀谭伯。富辰曰：“昔吾骤谏王，王弗从，以及此难。若我不出，王其以我为怼乎！”乃以其属死之。初，惠后欲立王子带，故以其党启狄人。狄人遂入，周王乃出居于郑，晋文公纳之。

【注释】

①滑：周代同姓诸侯国。

②兄弟也：郑始封于周宣王时，其国君是周宣王之弟姬友，所以富辰说郑是周的兄弟之国。

【译文】

周襄王十三年，郑国征讨滑国。襄王派大夫游孙伯为滑国说情，被郑人扣留。襄王大怒，准备利用狄国力量去攻打郑国。富辰劝阻说：“不可以这样做。古人有言道：‘兄弟之间发生争执，但仍一起抗御外侮。’周公的诗说：‘兄弟在家内相争，对外要一致抗强暴。’因此，兄弟不和是内部的冲突，虽有争执但不会影响手足之情。郑君与天子有兄弟之情。郑武公、郑庄公为平王、桓王立过大功，我们王族的东迁也曾经凭借过晋国、郑国，子颓作乱也是郑国帮助平定的。现在由于这点仇怨就要遗弃郑国，那就是因为小怨而忘记大德，是不行的！何况，兄弟之间的纠纷不用外人插手，否则，利益就会减少，平白便宜了外人。暴露内怨却让外人得利，这是不义；疏远亲族却和狄人来往，这是不祥；以怨报德，这是不仁。蕴生利益要靠义，侍奉神明要靠祥，养护百姓要靠仁。不义就不会有利益；不祥福就不降临；不仁民就不归顺。古代英明的君王不会失去这三种德行，所以拥有广大的疆域，使百姓安宁，到现在也不会有人忘记他的德行。您不能摒弃这些德行啊！”襄王不听劝。十七年，襄王用狄人的军队去攻打郑国。

襄王非常感激狄人，并要娶狄人的女子为王后。富辰劝谏说：“不能这样做。婚姻是产生祸福的土壤。有利于自己的就是福，让外人得益那就会有祸。现在您让外人获得利益，这难道不是招引祸害吗？以前挚、畴因为大任而得到福，杞、缯因为大姒而得到福，齐、许、申、吕因为大姜而得到福，陈因为大姬而得到福，这些都是可以让自己获取利益的例子。以前鄢国因仲任而亡国，密须因伯姞而亡国，郐因叔妘而亡国，聃因郑姬而亡国，息因陈妫而亡国，邓因楚曼而亡国，罗因季姬而亡国，卢因荆妫而亡国，这些都是通过婚姻让外人得到利益而离弃亲族的例子。”

襄王问：“什么是使自己获利，什么又使外人得到利益呢？”富辰答道：“尊重贵族，表扬贤人，起用功臣，尊敬长者，友爱亲戚，礼待宾客，亲近故旧。如此，百姓就会听从上面指挥，官府不用变更常道而财物不致匮乏，所求无不应，所向无不达。百姓万民，人人都会把利益奉献给王室，这就是使自己获得利益。假如以上七件事做得不好，百姓就会为自己谋利，国家的要求做不到，这就是让外人获得利益。狄国不是王室的封侯，而郑国却是王室亲命的公爵，如若陛下瞧不起他，这是不尊重贵族。狄人的所为像豺狼一样，但郑国没有违背周室的制度，陛下却蔑视它，这是不表彰贤人。平王、桓王、庄王、惠王都受过郑国的好处，陛下却要离弃它，这是不起用功臣。郑文公已经年纪大了，陛下却把他当作年轻人对待，这是不恭敬长者。狄是隗姓，郑却是宣王的后裔，陛下却亏待了他，这是不友爱亲族。根据礼制，新的不能取代旧的，陛下要狄人的女人来取代姜氏、任氏成为王后，这不符合礼制，而且是抛弃旧交的行为。陛下您的一个举措就会使七德都丢弃，因此臣认为这是利为外人所得。《尚书》中说：‘忍耐才会成功。’陛下不可以容忍小事而离弃郑国，还要娶叔隗为王后招来狄人。狄人像豺狼一样，是不会满足的。”襄王没有听取。

十八年，废黜了狄后。狄人前来报复，杀掉大夫谭伯。富辰说：“以前我屡次劝谏，陛下不听，所以遭此祸难。如果我不去抵御狄人，陛下可能会认为我有怨气了。”于是率领自己的部属出战死了。原来，惠后想要立自己的儿子叔带为王，因此叔带让他的党羽借襄王废黜狄后的机会引来狄人。于是狄人入侵，襄王逃亡到郑国，后来被晋文公接纳护送回国。

刘康公论鲁大夫俭与侈

【原文】

定王八年，使刘康公聘于鲁，发币[1]于大夫。季文子、孟献子皆俭，叔孙宣子、东门子家皆侈。

归，王问鲁大夫孰贤，对曰："季、孟其长处鲁乎！叔孙、东门其亡乎！若家不亡，身必不免。"

王曰："何故？"对曰："臣闻之：为臣必臣，为君必君。宽肃宣惠，君也；敬恪恭俭，臣也。宽所以保本也，肃[2]所以济时也，宣所以教施也，惠所以和民也。本有保则必固，时动而济则无败功，教施而宣则遍，惠以和民则阜。若本固而功成，施遍而民阜，乃可以长保民矣，其何事不彻[3]？敬所以承命也，恪所以守业也，恭所以给事也，俭所以足用也。以敬承命则不违，以恪守业则不懈，以恭给事则宽于死，以俭足用则远于忧。若承命不违，守业不懈，宽于死而远于忧，则可以上下无隙矣，其何任不堪？上任[4]事而彻，下能堪其任，所以为令闻长世也。今夫二子者俭，其能足用矣，用足则族可以庇。二子者侈，侈则不恤匮，匮而不恤，忧必及之，若是则必亡其身。且夫人臣而侈，国家弗堪，亡之道也。"

王曰："几何？"对曰："东门之位不若叔孙，而泰侈焉，不可以事二君。叔孙之位不若季、孟，而亦泰侈焉，不可以事三君。若皆蚤世犹可，若登年以载其毒，必亡。"

十六年，鲁宣公卒。赴者未及，东门氏来告乱，子家奔齐。简王十一年，鲁叔孙宣伯亦奔齐，成公未殁二年。

【注释】

①发币：分发见面礼。

②肃：整。

③彻：通达。

④任：派遣。

【译文】

周定王八年，定王派遣刘康公出使鲁国，给鲁国的大夫分送礼物。季文子、孟献子都是俭朴的人，但叔孙宣子、东门子很奢侈。

回来以后，定王问鲁国的大夫哪位比较贤德？刘康公回答道："季孙、仲孙在鲁国地位会长久，但叔孙、东门就可能会败亡。如果家族侥幸不亡，他们本人一定逃不掉祸患。"

定王说："那是为什么？"刘康公回答说："为臣一定遵行臣道，为君一定恪守君道。宽厚、严整、公正、仁爱，为君道；忠敬、谨慎、谦恭、俭朴，为臣道。宽厚可以维护基业，严整可以完成政务，公正可以施行教化，仁爱可以团结民众。基业得到维护就一定能稳固，按时机而行动政务完成就不会荒废，教化施行而公正就会普及，用仁爱来团结民众就能实现富足。如果基业稳固政务就会有所成就，教化有方而民众富足，就能够长久地保有百姓，还有什么事是做不到呢？忠敬可以承受君命，谨慎可以守护家业，谦恭可以执行公务，俭朴可以丰足财用。用忠敬的心就不会违抗君命，用谨慎来守护家业就不会荒废，用谦恭来执行公务就不会犯法，用俭朴来丰足财用就不用担忧。假如承受君命，保护家业，不违反刑法，君臣上下就会没有缝隙，还有什么事不能胜任呢？为上者施行的政务要都能办到，在下者能够胜任交办的公务，这样是名垂千古之道啊。如今季孙、仲孙俭朴，他们会使财用充裕，有充足的财用则可以庇护族人。叔孙、东门奢侈，奢侈就不会体恤贫困，不体恤贫困的人，必会产生忧患，这样必然会招来祸端。何况作为人臣却奢侈，国家不堪负担，就会走向衰败。”

定王问：“他们能保持多久呢？”刘康公回答说：“东门子家的地位不如叔孙宣子但比叔孙宣子奢侈，因此不能连续侍奉两位君主。叔孙宣子的地位比不上季孙、仲孙，可是也比他们奢侈，因此不可能连续侍奉三位君主。如果他们死得早也就罢了，但如果他们用长寿来干坏事，就一定会败亡。”

周定王十六年，鲁宣公去世了。告丧的使者还没有到来，东门家的人就来报告发生变乱，东门子家逃到齐国。周简王十一年，叔孙宣子也逃奔到齐国，这恰好是鲁成公去世的前两年。

鲁语

曹刿问战

【原文】

长勺之役，曹刿问所以战于庄公。公曰：“余不爱[1]衣食于民，不爱牲玉于神。”对曰：“夫惠本而后民归之志，民和而后神降之福。若布德于民而平均其政事，君子务治而小人务力；动不违时，财不过用；财用不匮，莫不能使共祀[2]。是以用民无不听，求福无不丰。今将惠以小赐，祀以独恭。小赐不咸，独恭不优。不咸，民不归也；不优，神弗福也。将何以战？夫民求不匮于财，而神求优裕于享者也，故不可以不本。”公曰：“余听狱虽不能察，必以情断之。”对曰：“是则可矣。知夫苟[3]中心图民，智虽弗及，必将至焉。”

【注释】

①爱：吝啬。

②共祀：供给祭品。

③苟：只要。

【译文】

鲁国要在长勺攻打齐国，曹刿问鲁庄公凭借什么去与齐国打仗。庄公说：“我对我的百姓从不吝啬衣食，对待神灵十分崇敬，从不会吝啬牛羊和玉器。”曹刿回答：“只有从根本上施行大的恩惠，百姓才会归附，只有人民生活和睦，神明才会赐福。假如你能对百姓广布恩德并公平地处理政事，让君子帮助你治国，百姓就会热心地贡献力量；务农不违背时令，耗费不超过预算，百姓的日用不会短缺，百姓才有能力供奉神灵。这样百姓都会听从你的安排，求神降福才会应验。现在你到了临战时才给百姓施行小的恩惠，向神灵供奉祭品。小惠不可以惠及所有人，独自供奉神灵祭品也不可以丰裕。那样百姓就不会顺服，神灵也不会降福，你还怎么去作战呢？百姓追求财用不匮乏，神灵追求祭品充裕，因此不能不抓住根本问题。”庄公说：“处理百姓的案件时虽不敢说明察秋毫，但总是力求以情理判断。”曹刿回答说：“这是可行的。这样为百姓考虑，即使智慧不能遍及，也是可以达到目的的。”

曹刿谏庄公如齐观社

【原文】

庄公如齐观社[①]。曹刿谏曰：“不可。夫礼，所以正[②]民也。是故先王制诸侯，使五年四王、一相朝。终则讲于会，以正班爵之义，帅长幼之序，训上下之则，制财用之节，其间无由荒怠。夫齐弃大公之法而观民于社，君为是举而往观之，非故业[③]也，何以训民？土发而社，助时也。收攟而蒸，纳要[④]也。今齐社而旅往观，非先王之训也。天子祀上帝，诸侯会之受命焉。诸侯祀先王、先公，卿大夫佐之受事焉。臣不闻诸侯相会祀也，祀又不法。君举必书，书而不法，后嗣何观？”公不听，遂如齐。

【注释】

①社：祭祀土地神的节日。

②正：治理。

③故业：先例。

④纳要：收藏五谷。

【译文】

鲁庄公要到齐国去观看社祭典礼。曹刿劝阻他说：“不能去啊。礼，是用来规范百姓的。先王为诸侯订下制度，规定诸侯每五年都要派使臣朝见天子四次，诸侯必须亲自去朝见天子一次。然后集中在一起讲习礼仪，用来厘正爵位高低，遵循长幼次序，规范上下法度，商定贡纳的标准，这期间是不可以懈怠的。现在齐国废弃先王的法制，让人们去看社祭，你去参加，这种先例是没有的，以后又怎么去训导百姓呢？春天进行社祭，是为了祈求上天给农事赐福；冬天进行社祭，是为了向土神供奉五谷。如今齐国让大家前去观看阅兵，这不是先王规定的法度。天子祭祀上天，诸侯要听取政令；诸侯祭祀先王，卿大夫应该去帮助并接受任务安排。诸侯之间相互观看祭祀，这是不合法度的。国君的一举一动都会被记载下来，如果记载下来这些不合法度的事，后世的子孙将会如何看待？”庄公不听劝阻，最后还是去了齐国。

臧文仲如齐告籴

【原文】

鲁饥，臧文仲言于庄公曰："夫为四邻之援，结诸侯之信，重之以婚姻，申之以盟誓，固国之艰急是为。铸名器，藏宝财，固民之殄病是待。今国病矣，君盍以名器请籴于齐！"公曰："谁使？"对曰："国有饥馑，卿出告籴，古之制也。辰也备卿，辰请如齐。"公使往。

从者曰："君不命吾子，吾子请之，其为选事[1]乎？"文仲曰："贤者急病而让夷，居官者当事不避难，在位者恤民之患，是以国家无违。今我不如齐，非急病也。在上不恤下，居官而惰，非事君也。"

文仲以鬯圭[2]与玉磬如齐告籴，曰："天灾流行，戾于弊邑，饥馑荐降，民羸几卒，大惧乏周公、太公之命祀，职贡业事之不共而获戾。不腆先君之币器，敢告滞积，以纾执事，以救弊邑，使能共职。岂唯寡君与二三臣实受君赐，其周公、太公及百辟神祇实永飨而赖之！"齐人归其玉而予之籴。

【注释】

①选事：挑选差事。

②鬯（chàng）圭：祭祀宗庙时用的名贵器具。

【译文】

鲁国闹饥荒，臧文仲对鲁庄公说："和邻国友好相处，取得诸侯的信任，用婚姻和誓言巩固朝政，这是为了应对国家的危难。铸造钟鼎，收藏财物，是为了救助百姓。现在国家有难，国君难道不应该去抵押财物，救助百姓吗？”庄公说：“那要派谁去呢？”回答说：“以往国家遇到饥荒都是由卿大夫去求购粮食，古代就是这样的制度。那就让臣充列卿位，派臣去吧。”最后庄公派他前去。

臧文仲的侍从说：“国君也没派你去，你这样主动要求，这不是自己找事干吗？”他回答说：“贤明的人应该争做急难之事而谦让容易办的事，当官的人不应该逃避自己的责任，位居高位的人体恤百姓，国家就会安定。如果我不去出使齐国，那就是不急国家之所急。身居上位，没有体恤百姓，当官却懈怠政事，这不是一个臣子侍奉君上应有的态度。”

到齐国后，臧文仲带着鬯圭和玉磬向齐国求购粮食，说：“天灾降临到我的国家，民间发生饥荒，百姓的生命已经受到威胁。我们国君十分害怕周公、太公的祭祀没办法完成，献给王室的贡品也不能操办而因此获罪。所以不敢再保留先君的宝器，想请求交换贵国的陈粮。这能减轻管粮人的负担，又能解救饥荒，可以让我们继续担任向王室朝贡的职守。不但我们的国君和臣子能够领受到贵国国君的恩惠，就连周公、太公以及天地间的所有神祇也能靠这继续得到祭祀。”齐人将粮食借给了鲁国，并且退还了宝器。

展禽使乙喜以膏沐犒师

【原文】

齐孝公来伐鲁，臧文仲欲以辞告。病焉，问于展禽。对曰：“获闻之，处大教小，处小事大，所以御乱也，不闻以辞。若为小而崇，以怒大国，使加己乱，乱在前矣，辞其何益？”文仲曰：“国急矣！百物唯其可者，将无不趋也。愿以子之辞行赂[1]焉，其可赂乎？”

展禽使乙喜以膏沐犒师，曰：“寡君不佞，不能事疆场之司，使君盛怒，以暴露于弊邑之野，敢犒舆师。”齐侯见使者曰：“鲁国恐乎？”对曰：“小人恐矣，君子则否。”公曰：“室如悬磬，野无青草，何恃而不恐？”对曰：“恃二先君之所职业[2]。昔者成王命我先君周公及齐先君太公曰：‘女股肱周室，以夹辅先王。赐女土地，质之以牺牲，世世子孙无相害也。’君今来讨弊邑之罪，其亦使听从而释之，必不泯其社稷；岂其贪壤地，而弃先王之命？其何以镇抚诸侯？恃此以不恐。”齐侯乃许为平而还。

【注释】

①赂：财物。

②职业：职责。

【译文】

齐孝公讨伐鲁国，臧文仲想写一篇文章，请求齐国退兵，但没有合适的理由，于是问展禽。回答说：“大国要做好小国的表率，小国事奉大国，就可以防备祸乱，用言辞解决问题是我没听说过的。如果小国因为自大激怒大国，使大国厌恶自己，厌恶在前，那么在有大难的时候，言辞又有什么用呢？”文仲说：“国家遇到危难，所有的器物都可以送出，只要齐国同意撤兵，我们无不答应。希望可以凭借你的言辞去送礼物给他们，可不可行呢？”

展禽让乙喜带着洗浴用品慰劳齐国军队，说：“我们的国君因为没有侍奉好贵国边界上的官员，惹怒了您，以至于烦劳您带着军队在我们的郊野上风餐露宿，所以我斗胆来这犒劳贵国军队。”齐孝公接见使者问：“你们鲁国害怕了吗？”回答说：“小人是怕了，但国君并不怕。”孝公说：“你们国内空虚，旷野之中看不见绿草，为什么不怕呢？”回答说：“凭借周公和太公的职守。以前周成王命令始祖周公和齐国先君姜太公说：‘你们作为周室的股肱之臣，要全力支持王室，辅佐先王。赐给你们土地，你们要用牺牲祭祀天地，并且发誓，世世代代不能互相侵害。’现在你们来这儿的目的就是让我们知错服从，从而宽恕我们，一定不会灭掉鲁国。难道是要贪图我们的土地，而抛弃先王的遗命吗？那如何能称霸诸侯？凭借这个所以不怕。”齐侯最后答应讲和，齐国退兵。

里革断宣公罟而弃之

【原文】

宣公夏滥①于泗渊，里革断其罟而弃之，曰：“古者大寒降，土蛰发，水虞于是乎讲罛罶，取名鱼，登川禽，而尝之寝庙，行诸国，助宣气也。鸟兽孕，水虫成，兽虞于是乎禁罝罗，矠鱼鳖以为夏犒，助生阜也。鸟兽成，水虫孕，水虞于是乎禁罜䍡，设阱②鄂，以实庙庖，畜功用也。且夫山不槎蘖③，泽不伐夭，鱼禁鲲鲕，兽长麑麌，鸟翼鷇卵，虫舍蚳蝝，蕃庶物也，古之训也。今鱼方别孕，不教鱼长，又行网罟，贪无艺④也。”

公闻之，曰：“吾过而里革匡我，不亦善乎！是良罟也，为我得法。使有司藏之，使吾无忘谂。”师存侍，曰：“藏罟不如置里革于侧之不忘也。”

【注释】

①滥：在水中设拦截网。

②阱（jǐng）：捕野兽的陷坑。

③蘖（niè）：嫩枝。

④艺：极限。

【译文】

鲁宣公夏天在泗水深处撒网到处捕鱼，里革切断他的渔网，丢在旁边，说：“古时候寒冬将到，泥土中的动物开始活动的时候，管理湖泊的官吏才开始用网捕捞水产，祭祀祖先，并让百姓在这个时期捕鱼，是为了让地下的阳气宣泄出来。鸟产卵，兽怀胎时，鱼类长成，管理山林禽兽的官吏就禁止捕捉鸟兽，只准抓捕鱼鳖，晒成肉干供给夏天食用，这能够帮助鸟兽生长。鸟兽长大了，鱼鳖就开始繁殖，管理湖泽的官吏就开始禁止捕鱼，只准设陷阱和鸟笼去捕猎鸟兽，以供应宗庙和厨房的需要，把小鱼养大后再去享用。到山上砍柴不能砍伐新生的嫩枝，去水边割草不能割取嫩草，捕鱼时禁止捕捞幼鱼；捕兽要保留小鹿和小麋，捕鸟要保护雏鸟和鸟卵，捕虫要避免伤害幼虫。这些都可以保护万物生长繁殖，都是古人的教导。现在是鱼类繁殖的季节，你却下令捕捞，真是太过贪心！”

宣公听后，说：“我错了，有里革纠正我，这不好吗？这是一副好渔网啊，它能够让我认识到管理国家的方法。请人把网保存起来，让我不会忘记。”师存说道：“与其保存渔网，还不如让里革在您的身边，那样您时刻都不会忘记了。”

叔孙穆子聘于晋

【原文】

叔孙穆子聘于晋，晋悼公飨之，乐及《鹿鸣》之三，而后拜乐三。晋侯使行人问焉，曰：“子以君命镇抚弊邑，不腆[1]先君之礼，以辱从者，不腆之乐以节之。吾子舍其大而加礼于其细，敢问何礼也？”

对曰："寡君使豹来继先君之好，君以诸侯之故，贶[2]使臣以大礼。夫先乐金奏《肆夏》《樊遏》《渠》，天子所以飨元侯也；夫歌《文王》《大明》《绵》，则两君相见之乐也。皆昭令德以合好也，皆非使臣之所敢闻也。臣以为肄业[3]及之，故不敢拜。今伶箫咏歌及《鹿鸣》之三，君之所以贶使臣，臣敢不拜贶。夫《鹿鸣》，君之所以嘉先君之好也，敢不拜嘉。《四牡》，君之所以章使臣之勤也，敢不拜章。《皇皇者华》，君教使臣曰'每怀靡及'，诹、谋、度、询，必咨于周。敢不拜教。臣闻之曰：'怀和为每怀，咨才为诹，咨事为谋，咨义为度，咨亲为询，忠信为周。'君贶使臣以大礼，重之以六德，敢不重拜。"

【注释】

①不腆：不丰厚。

②贶（kuàng）：赐给。

③肄业：练习乐曲。

【译文】

叔孙穆子去晋国行聘问之礼，晋悼公以宴乐接待他。当乐师演奏到《鹿鸣之什》等三曲时，穆子三次起身拜谢。悼公遣礼宾官员问他："您奉君命来到敝国行聘问之礼，敝国用先君的仪式接待您，用音乐给您助兴。您置重要的乐曲于不顾，却拜谢这次要的乐曲，这是什么礼节呢？"

穆子答道："我的国君派我前来，是为了继承先君的友好关系。贵国国君由于对诸侯国尊重，赐给我大礼。先演奏《肆夏》《樊遏》《渠》三首夏曲，这是天子招待诸侯领袖用的。然后演奏《文王》《大明》《绵》，这是两国国君相见时用的。这都是用来赞扬先王美德以及加强友好关系用的音乐，不是我这种身份的人敢听的。我以为这是乐师正在练习才演奏这些曲子，因此不敢拜谢。乐师吹箫演唱到《鹿鸣》等三曲，这是国君赐给我的乐曲，我怎么敢不拜谢呢？其中第一首曲子《鹿鸣》，是国君赞扬先君友好关系的乐曲，我怎敢不拜谢这种赞扬呢？第二首曲子《四牡》，是国君赞扬使臣勤于国事的乐曲，我哪里敢不拜谢这种赞扬呢？第三首曲子《皇皇者华》中，国君对使臣说：'如果每个人都怀有私心，国事就永远不会办成。'诹、谋、度、询，必须向忠诚的人咨询。我怎么敢不拜谢这种教导呢？我听说：'每怀是怀私的意思，咨问事务叫作诹；咨问困难叫作谋；咨询礼义叫作度；咨问亲戚叫作询；向忠信的人咨问叫作周。'现在国君赐给我大礼，又教导我这六种德行，我怎么敢不再三拜谢？"

子服惠伯从季平子如晋

【原文】

平丘之会，晋昭公使叔向辞昭公，弗与盟。子服惠伯曰："晋信蛮、夷而弃兄弟，其执政贰也。贰心必失诸侯，岂唯鲁然？夫失其政者，必毒于人，鲁惧及焉，不可以不恭。必使上卿从之。"季平子曰："然则意如乎！若我往，晋必患我，谁为之贰[①]？"子服惠伯曰："椒既言之矣，敢逃难乎？椒请从。"

晋人执平子。子服惠伯见韩宣子曰：“夫盟，信之要也。晋为盟主，是主信也。若盟而弃鲁侯，信抑阙矣。昔栾氏之乱，齐人间[2]晋之祸，伐取朝歌。我先君襄公不敢宁处，使叔孙豹悉帅敝赋，踦跂毕行，无有处人，以从军吏，次[3]于雍渝，与邯郸胜击齐之左，掎止晏莱焉，齐师退而后敢还。非以求远也，以鲁之密迩[4]于齐，而又小国也；齐朝驾则夕极于鲁国，不敢惮其患，而与晋共其忧，亦曰：‘庶几有益于鲁国乎！’今信蛮、夷而弃之，夫诸侯之勉于君者，将安劝矣？若弃鲁而苟固诸侯，群臣敢惮戮乎？诸侯之事晋者，鲁为勉矣。若以蛮、夷之故弃之，其无乃得蛮、夷而失诸侯之信乎？子计其利者，小国共命。”宣子说，乃归平子。

【注释】

①贰：随从。

②间：乘机。

③次：驻扎。

④密迩：靠近。

【译文】

诸侯在平丘会盟的时候，晋昭公不让鲁昭公参加盟会。子服惠伯说：“晋国听信蛮夷小国的谗言而抛弃兄弟之国的情义，这是他们的执政者有二心。这样就会失去各诸侯的信任，哪里只是我们鲁国这样？国政出现失误，就会波及别国，鲁国因为害怕受到侵害，就必须对晋国恭敬，应该派上卿去谢罪。”季平子说：“这么说的话就是我应该前去，但如果我去，晋国肯定会找我的麻烦，谁愿意做我的随从一起去呢？”子服惠伯说：“既然是我出的主意，又岂敢逃避危难？就请让我做随从吧。”

晋国人将季平子抓了起来。子服惠伯去见韩宣子，说：“诸侯盟会，因信义结合在一起。晋国作为盟主，应主持信义于天下。如果诸侯盟会不让鲁国国君参加，那信义就会有欠缺。以前栾盈发动内乱时，齐国乘晋国祸乱，侵占了朝歌。我国先君鲁襄公不肯袖手旁观，派叔孙豹统率全国的兵甲，即便腿脚有残缺的人都从军成行，没有人待在家里，全都随军出征。驻扎雍渝一带，和邯郸胜大夫一起攻击齐国的左军，并且俘虏了齐国的晏莱，直到齐军撤退以后才敢率军回国。我说这些并不是为了彰显鲁国的功劳，而是因为鲁国邻近齐国，又比较弱小；从早晨驾车晚上就能到达鲁国，但鲁国不害怕齐国之后的祸患，而是决心与晋国共进退，还说：‘唯有这样才能有益于鲁国！’现在晋国听信谗言而要抛弃鲁国，那对其他尽力侍奉晋国的诸侯，要怎么解释呢？如果晋国抛弃鲁国后依然可以团结各方诸侯势力，那我们又怎么会怕死呢？在所有事奉晋国的诸侯中，鲁国是最尽心的。假如因为蛮夷之国就抛弃鲁国，那恐怕会失去诸侯的信任吧？你可以考虑一下得失再做决定，我们鲁国都会听从。”韩宣子对子服惠伯所说的深感佩服，于是就放季平子回国了。

公父文伯之母论劳逸

【原文】

公父文伯退朝，朝其母，其母方绩。文伯曰：“以歜之家而主犹绩，惧忓季孙之怒也，其以歜为不能事主乎！”

其母叹曰：“鲁其亡乎！使僮子备官而未之闻耶？居，吾语女。昔圣王之处民也，择瘠土而处之，劳其民而用之，故长王天下。夫民劳则思，思则善心生；逸则淫，淫则忘善，忘善则恶心生。沃土之民不材，逸也；瘠土之民莫不向义，劳也。是故天子大采[1]朝日，与三公、九卿祖识地德；日中考政，与百官之政事，师尹维旅、牧、相宣序民事；少采夕月，与大史、司载纠虔天刑；日入监九御，使洁奉禘、郊之粢盛[2]，而后即安。诸侯朝修天子之业命，昼考其国职，夕省其典刑，夜儆百工，使无慆淫，而后即安。卿大夫朝考其职，昼讲其庶政，夕序其业，夜庀其家事，而后即安。士朝受业，昼而讲贯，夕而习复，夜而计过无憾，而后即安。自庶人以下，明而动，晦而休，无日以怠。

“王后亲织玄紞，公侯之夫人加之以纮、綖，卿之内子为大带，命妇[3]成祭服，列士之妻加之以朝服，自庶士以下，皆衣其夫。社而赋事，蒸而献功，男女效绩，愆则有辟，古之制也。君子劳心，小人劳力，先王之训也。自上以下，谁敢淫心舍力？今我，寡也，尔又在下位，朝夕处事，犹恐忘先人之业。况有怠惰，其何以避辟！吾冀而朝夕修我曰：‘必无废先人。’尔今曰：‘胡不自安。’以是承君之宫，余惧穆伯之绝嗣也。”仲尼闻之曰：“弟子志之，季氏之妇不淫矣。”

【注释】

①采：五彩的礼服。

②粢（zī）盛：放在祭器内供祭祀用的谷物。

③命妇：大夫的妻。

【译文】

公父文伯退朝回来后，向他的母亲请安，他的母亲在织麻。公父文伯说："我们这样的家庭，主母还要织麻，季康子可能会不满，他会认为我没有服侍好母亲呢！"

他的母亲哀叹说："鲁国可能要灭亡了！让你这样不懂事的孩子做官，可你却连做官的道理都没有听说过吗？坐下，让我来说给你。以前君王治理百姓，就会挑选贫瘠的土地来安置他们，让百姓辛勤劳作，把土地耕种好，因此能长久地统治天下。百姓因此而想到节俭，从而能有善良的心；安逸就会放荡，从而忘记善良产生坏心。生活在肥沃土地上的人不能成才是因为过得太安逸了；生活在贫瘠土地上的百姓都向往仁义，这是勤劳的缘故。所以天子要在每年春分时穿五彩礼服去朝拜日神，和大臣们一起查看五谷的生长情况；中午要检查朝政得失和百官的政绩，大夫官和各地方长官辅助处理各个地方的事务；在每年秋分时天子要穿三彩的礼服去祭祀月神，和太史、司载一起虔诚地观看上天的征兆；日落以后监督内宫女官的工作，让她们整洁地准备好祭品，然后才能休息。早上诸侯要办理天子交代的任务，白天要考察自己封国的事务，晚上要检查法令执行的情况，夜里还要监督百官，然后才可以休息。早上卿大夫要做好本职工作，白天进行例行公事讲习，晚上要检查自己所办的事务，夜间处理家务，使他们不敢有所懈怠，然后才能休息。早上士人要接受朝廷交代的任务，白天要讲习政事，晚上要复习，夜间要检查自己一天有没有什么过失，然后才能休息。自一般的百姓以下，天亮就要劳动，天黑了才可以休息，一天都不可以懈怠。

“王后亲自编织王冠两旁的黑色丝绳，公侯的夫人除了这样还要编织系王冠的带子，卿的妻子要亲自编织黑色的腰带，大夫的妻子要亲自做祭祀时穿的礼服，列士的妻子除了这样还要做朝服，自下士以下的夫人都要给丈夫做衣服。春祭时要分配农活，冬祭时要进献果实，男女分别尽力，有错就应该治罪，这是一直以来的制度。君子以心力劳累，小人以体力操劳，这是先王的教诲。全国上下，谁敢只图安逸而不去劳作呢？如今我是个寡妇，你也只是个大夫，每天从早到晚地工作，还害怕败坏了祖先的大业，如果存有懈怠的念头，怎么能逃避罪责？我希望你每天都可以提醒我说：‘不要毁了先人的大业。’你刚才却说：‘为何不自求安逸？’用这样的态度去担任国君赋予你的官位，我害怕穆伯要断绝后代啊！”孔子听后，说：“你们要记住，季氏家的妇人是一个不贪图安逸的人啊。”

齐语

管仲对桓公以霸术

【原文】

桓公自莒反于齐，使鲍叔为宰，辞曰："臣，君之庸臣也。君加惠于臣，使不冻馁，则是君之赐也。若必治国家者，则非臣之所能也。若必治国家者，则其管夷吾乎。臣之所不若夷吾者五：宽惠柔民，弗若也；治国家不失其柄，弗若也；忠信可结于百姓，弗若也；制礼义可法于四方，弗若也；执枹鼓立于军门，使百姓皆加勇焉，弗若也。"桓公曰："夫管夷吾射寡人中钩，是以滨[1]于死。"鲍叔对曰："夫为其君动也。君若宥而反之，夫犹是也。"桓公曰："若何？"鲍子对曰："请诸鲁。"桓公曰："施伯，鲁君之谋臣也，夫知吾将用之，必不予我矣。若之何？"鲍子对曰："使人请诸鲁，曰：'寡君有不令之臣在君之国，欲以戮之于群臣，故请之。'则予我矣。"桓公使请诸鲁，如鲍叔之言。

庄公以问施伯，施伯对曰："此非欲戮之也，欲用其政也。夫管子，天下之才也，所在之国，则必得志于天下。令彼在齐，则必长为鲁国忧矣。"庄公曰："若何？"施伯对曰："杀而以其尸授之。"庄公将杀管仲，齐使者请曰："寡君欲亲以为戮，若不生得[2]以戮于群臣，犹未得请也。请生之。"于是庄公使束缚以予齐使。齐使受之而退。

比至，三衅、三浴之。桓公亲逆之于郊，而与之坐而问焉，曰：“昔吾先君襄公筑台以为高位，田、狩、罼、弋，不听国政，卑圣侮士，而唯女是崇。九妃、六嫔，陈妾数百，食必粱肉，衣必文绣。戎士冻馁，戎车待游车之裂，戎士待陈妾之余。优笑在前，贤材在后，是以国家不日引，不月长。恐宗庙之不扫除，社稷之不血食，敢问为此若何？”管子对曰：“昔吾先王昭王、穆王，世法文、武远绩以成名。合群叟，比校民之有道者，设象以为民纪，式权以相应，比[3]缀以度，竴[4]本肇末，劝之以赏赐，纠之以刑罚，班序颠毛，以为民纪统。”

桓公曰：“为之若何？”管子对曰：“昔者，圣王之治天下也，参其国而伍其鄙，定民之居，成民之事，陵为之终，而慎用其六柄焉。”

桓公曰：“成民之事若何？”管子对曰：“四民者，勿使杂处，杂处则其言哤[5]，其事易。”公曰：“处士、农、工、商若何？”管子对曰：“昔圣王之处士也，使就闲燕；处工，就官府；处商，就市井；处农，就田野。

“令夫士，群萃而州处，闲燕则父与父言义，子与子言孝，其事君者言敬，其幼者言弟[6]。少而习焉，其心安焉，不见异物而迁焉。是故其父兄之教不肃而成，其子弟之学不劳而能。夫是，故士之子恒为士。

“令夫工，群萃而州处，审其四时，辨其功苦，权节其用，论比协材。旦暮从事，施于四方，以饬[7]其子弟，相语以事，相示以巧，相陈以功。少而习焉，其心安焉，不见异物而迁焉。是故其父兄之教不肃而成，其子弟之学不劳而能。夫是，故工之子恒为工。

“令夫商，群萃而州处，察其四时，而监其乡之资，以知其市之贾[8]，负、任、担、荷，服牛、轺马，以周四方，以其所有，易其所无，市贱鬻贵。旦暮从事于此，以饬其子弟，相语以利，相示以赖，相陈以知贾。少而习焉，其心安焉，不见异物而迁焉。是故其父兄之教不肃而成，其子弟之学不劳而能。夫是，故商之子恒为商。

“令夫农，群萃而州处，察其四时，权节其用，耒、耜、枷、芟。及寒，击菒除田，以待时耕；及耕，深耕而疾耰之，以待时雨；时雨既至，挟其枪、刈、耨、镈，以旦暮从事于田野。脱衣就功，首戴茅蒲，身衣袯襫[9]，沾体涂足，暴其发肤，尽其四支之敏，以从事于田野。少而习焉，其心安焉，不见异物而迁焉。是故其父兄之教不肃而成，其子弟之学不劳而能。夫是，故农之子恒为农。野处而不昵，其秀民之能为士者，必足赖也。有司见而不以告，其罪五。有司已于事而竣。”

桓公曰：“定民之居若何？”管子对曰：“制国以为二十一乡。”桓公曰：“善。”管子于是制国以为二十一乡：工商之乡六；士乡十五。公帅五乡焉，国子帅五乡焉，高子帅五乡焉。参国起案，以为三官，臣立三宰，工立三族，市立三乡，泽立三虞，山立三衡。

桓公曰：“吾欲从事于诸侯，其可乎？”管子对曰：“未可，国未安。”桓公曰：“安国若何？”管子对曰：“修旧法，择其善者而业用之；遂滋民，与无财，而敬百姓，则国安矣。”桓公曰：“诺。”遂修旧法，择其善者而业用之；遂滋民，与无财，而敬百姓。

国既安矣，桓公曰：“国安矣，其可乎？”管子对曰：“未可。君若正卒伍，修甲兵，则大国亦将正卒伍，修甲兵，则难以速得志矣。君有攻伐之器，小国诸侯有守御之备，则难以速得志矣。君若欲速得志于天下诸侯，则事可以隐令，可以寄政。”桓公曰：“为之若何？”管子对曰：“作内政[10]而寄军令焉。”桓公曰：“善。”

管子于是制国：“五家为轨，轨为之长；十轨为里，里有司；四里为连，连为之长；十连为乡，乡有良人焉。以为军令：五家为轨，故五人为伍，轨长帅之；十轨为里，故五十人为小戎，里有司帅之；四里为连，故二百人为卒，连长帅之；十连为乡，故二千人为旅，乡良人帅之；五乡一帅，故万人为一军，五乡之帅帅之。三军，故有中军之鼓，有国子之鼓，有高子之鼓。春以蒐振旅，秋以狝治兵。是故卒伍整于里，军旅整于郊。内教既成，令勿使迁徙。伍之人祭祀同福，死丧同恤，祸灾共之。人与人相畴，家与家相畴，世同居，少同游。故夜战声相闻，足以不乖；昼战目相见，足以相识。其欢欣足以相死。居同乐，行同和，死同哀。是故守则同固，战则同强。君有此士也三万人，以方行[11]于天下，以诛无道，以屏周室，天下大国之君莫之能御。”

【注释】

①滨：同“濒”。

②生得：活捉。

③比：房屋相邻而居。

④竱（zhuǎn）：齐。

⑤哤（máng）：杂乱。

⑥弟：同“悌”。

⑦饬（chì）：教导。

⑧贾：同“价”。

⑨袯襫（bó shì）：蓑衣。

⑩作内政：改革内政。

⑪方行：横行。

【译文】

齐桓公从莒国回到齐国后，让鲍叔担任太宰。鲍叔推辞说："我只是你的一个庸臣。你照顾我，让我不挨饿受冻，那已经是恩赐了。如果一定要找治理国家的贤才，那就不是我力所能及的。如果要说治理国家的栋梁之材，那可能只有管仲了。我在五个方面上比不上管仲：用宽容慈爱来抚慰百姓，我不及他；治理国家不能忘了根本，我不及他；为人诚信忠厚，百姓十分信任他，我不及他；天下都效法他制定的礼仪，我不及他；在军门前击鼓指挥，让百姓变得更勇猛，我不及他。"桓公说："管仲曾经用箭射中了我的带钩，差点让我丧命。"鲍叔辩解说："那是在为他的主子做事。如果您赦免他，放他回来，他也会那样为您做事的。"桓公问："怎么才能让他回来呢？"鲍叔说："要和鲁国提出请求。"桓公说："施伯是鲁君的谋臣，如果他知道我想任用管仲，肯定不会给我的，那可怎么办？"回答说："派人到鲁国去要求说：'我们国有个违抗命令的臣子在贵国，想要在群臣面前处死他，因此请交还给我国。'这样鲁国就会把他送归我们了。"于是桓公按照鲍叔所说的那样去做，派人向鲁国要回管仲。

鲁庄公询问施伯该怎么处置此事。施伯回答说："这不是想处死他，而是想起用他让他执齐国之政。管仲是天下的奇人，有他为国家效力，肯定会称霸诸侯的。让他回去，日后必定会成为鲁国的祸患。"庄公说："那要怎么办呢？"施伯回答："杀了他，再把尸体交还给齐国。"庄公准备杀死管仲时，齐国使者要求说："我们国君想要亲自处决他，如果不能把他活着带回去，在群臣面前杀之示众，和没有前来请求有什么两样？请让我带上活着的管仲回去吧。"然后，庄公派人把管仲捆绑起来交给齐国使者。齐使接到管仲后就回国了。

在管仲快要到达齐国时，桓公薰香沐浴三次，亲自到城郊迎接他，让他坐下并问道："以前，我们的先君襄公修筑高台以显示自己的尊荣，常常打猎游乐，不理朝政，藐视圣贤，侮辱文士，唯重女色。宫中嫔妃数百人，吃鱼肉精米，穿绣服彩衣。将士们却要忍饥挨饿，军车要等游玩的车子坏掉之后才充用，士兵们靠侍妾吃剩的粮食来生存。亲近倡优，却不理贤德的人才。国家因此不能日有所进，月有所长。长此以往，恐怕庙堂将无人打扫，国家不保，先人断绝祭祀。你看这要怎么处理？"回答说："过去先王周昭王、周穆王以世代效法文王、武王的政绩而成美名。召集国中老臣，来考察选拔百姓中德行好的人，制定法令来规范民众的行为，务必做到均平公正，一切按照法度行事，正本清源，用赏赐来勉励民众向善，用刑罚来纠正罪恶，使长幼井然有序，作为百姓行事的原则。"

桓公说："那要怎样做？"管仲回答说："以前，圣王在治理天下时，曾经把都城分为三区，荒野分为五区，用来安排百姓的住地，让百姓各就其业，又设坟地作为他们的归宿，并小心谨慎地运用六种权力。"

桓公问："怎样才能让百姓各就其业呢？"管仲回答说："士、农、工、商等四类民众，不要让他们混杂居住在一起。那样会让他们相互干扰，从而不能安心工作。"桓公问："那要如何安排士、农、工、商的住地呢？"管仲回答说："以前圣王安排士人在清静的地方居住；安排工匠在官府居住；安排商人在市场居住；安排农民在田野居住。

"让士人在一起居住，父辈之间谈论礼义，子侄辈之间谈论孝道，侍奉国君的人谈论恭敬事上，年幼的谈论兄弟和睦。因为从小受到熏陶，思想就会安定，不会见异思迁。所以父兄的教诲不用太严厉就很有成效，子弟的学习不用花多少气力就能掌握。这样，士人的后代就一直会是士人。

"让工匠在一起居住，彼此了解不同季节的产品需要，辨别工具质量的好坏，衡量器材的用处，选用合适的材料。每天都做这些事，使产品适用于全国，用来教诲子弟，互相谈论工作，彼此交流技艺，互相展示成果。因为从小受到熏陶，他们的思想就会安定，不会见异思迁。所以父兄的教诲不用太严厉就很有成效，子弟的学习不用花多少气力就能掌握。这样，工匠的后代就一直会是工匠。

"让商人在一起居住，互相了解不同季节的营销需要，可以熟悉本地的货源，及时掌握市场行情。可以背负肩挑，或者车载畜驾，把货物运往各地，用已有的事物来换取缺少的事物，贱价买进高价卖出。每天都做这些事，用来教诲后代，彼此谈论生财之道，交流经验，彼此展示经营手段。因为从小受到熏陶，他们的思想就会安定，不会见异思迁。所以父兄的教诲不用太严厉就很有成效，子弟的学习不用花多少气力就能掌握。这样，商人的后代就一直都会是商人。

"让那些农民在一起居住，互相了解不同季节的农事，根据不同的农事准备耒、耜、耞、镰等不同的农具，到了大寒时节，除草，整修田地，以便来年春耕；到了耕种的季节，要深翻土壤，施肥，等待春雨到来；春雨过后，就带着农具从早到晚在田里劳作。劳动时要脱掉上衣，头戴草帽，身穿蓑衣，全身沾满泥土，太阳曝晒皮肤，要使出全部的力气干活。因为从小受到熏陶，思想就会安定，不会见异思迁。所以父兄的教诲不用太严厉就很有成效，子弟的学习不用花多少气力就能掌握。这样，农民的后代就一直都会是农民。他们居住在郊野所以不会沾染不好的习惯，其中如果有能进入仕途的人，一定可以值得信赖。如果官员不给予推荐就要治他的罪，只有推荐出人才，才能算称职。”

桓公问：“如何确定百姓的住地呢？”回答说：“先把全国分为二十一个乡。”桓公说：“好。”于是管仲把全国划分为二十一个乡：工匠和商人一共有六个乡，士人和农民一共有十五个乡，国君掌管五个乡，国子掌管五个乡，高子掌管五个乡。把国事分为三个方面，各种官职也各设置三名：设置三卿主管群臣，设置三族主管工匠，设置三乡主管商人，设置三虞主管川泽，设置三衡主管山林。

桓公说：“我想在诸侯中成就一番霸业，能行吗？”管仲回答说：“不行，国家还不稳定。”桓公问：“那要怎样来稳定国家呢？”管仲说：“整顿已有的条令，选择合适的修订并施行。然后要繁殖人口，救济贫困的人，安抚好天下的百姓，这样国家就能稳定了。”桓公说：“就这样办。”于是整顿已有的条令，选择合适的修订后施行，然后繁殖人口，救济贫困之人，安抚好天下百姓。

国家安定以后，桓公说：“国家现在已经安定，可以有所作为了吧？”管仲说：“还是不行。如果你整顿军队、打造兵器，其他大国也会整顿军队，打造兵器，我们就很难实现志向了。你有进攻的武器，别国也会有防御的准备，我们也难以很快实现志向。如果你想快速在众诸侯中实现志向，就把要做的事全都隐蔽起来做，把战备隐藏在政令里。”桓公问：“怎样去做？”管仲回答说：“在整顿内政中隐藏军令。”桓公说：“很好。”

于是管仲开始制定国家的政令：“一轨有五家，轨设轨长；一里有十轨，里设有司；一连有四里，连设连长；一乡有十连，乡设良人。其中所隐藏的军令是：五家一轨，五人为一伍，由轨长统领；十轨一里，五十人为小戎，由有司统领；四里一连，二百人为一卒，由连长统领；十连一乡，二千人为一旅，由乡的良人统领；五个乡是一帅，正好是一万人，编成一个军，由卿来统领。全国可编为三军，所以要有国君亲自统领的中军的旗鼓，有国子的旗鼓，和高子的旗鼓。春天以春猎的名义整编军队，秋天以秋猎的名义操练军队。像卒、伍这样一级的小队伍在里中就已经编就。像军、旅这样一级的大兵团在野外中就可以组成。内政中既然已经包含军事组织，就要命令民众不可以迁徙。在同一个伍的人祭祀时一起享用酒肉，死丧时大家一起哀伤，有了灾祸就要共同承担。人与人相陪伴，家与家相陪伴，世代都同住一个地方，从小一起游戏。因此在夜间作战可以听到声音，也不会发生误会；白天作战能够相互看见，互相认识同伴。这种欢乐的心情，能让他们拼死相助。在家时可以共同欢乐，行军时相处融洽，战死时会一起哀伤。所以，防守就会坚固不移，作战就会英勇顽强。如果你能拥有三万名这样的兵士，足以率领他们横行天下，讨伐无道，拱卫周王室，天下大国诸侯再没有能与你对抗的了。”

管仲教桓公亲邻国

【原文】

桓公曰："吾欲从事于诸侯，其可乎？"管子对曰："未可。邻国未吾亲也。君欲从事于天下诸侯，则亲邻国。"桓公曰："若何？"管子对曰："审吾疆埸，而反其侵地；正其封疆，无受其资；而重为之皮币[①]，以骤[②]聘眺于诸侯，以安四邻，则四邻之国亲我矣。为游士八十人，奉之以车马、衣裘，多其资币，使周游于四方，以号召天下之贤士。皮币玩好，使民鬻之四方，以监其上下之所好，择其淫乱者而先征之。"

【注释】

①皮币：皮毛和帛。

②骤：多次，经常。

【译文】

齐桓公说："我想要建立霸业，现在时机成熟了吗？"管仲回答说："还不可以。邻国与我们不亲近。你想在诸侯国之间建立霸业，首先要与邻国相亲近。"桓公说："要怎么做呢？"管仲回答说："划定我国的边界，归还从邻国侵占来的土地，承认邻国边界具有合法性，不占邻国便宜；并且要多赠给邻国礼物，派使者经常到周边的邻国访问，让它们感到安定，这样邻国就会与我们亲近了。请派善于外交的人，带着车马、衣物和足够的财物，让他们周游四方，召纳天下的贤人。让百姓把皮毛、币帛和玩赏之类的物品贩卖到各地，以此观察各国不同的爱好，然后选择其中腐败的国家作为第一个讨伐的对象。”

桓公帅诸侯而朝天子

【原文】

桓公曰：“吾欲南伐，何主？”管子对曰：“以鲁为主。反其侵地棠、潜，使海于有蔽，渠弭于有渚，环山于有牢。”桓公曰：“吾欲西伐，何主？”管子对曰：“以卫为主。反其侵地台、原、姑与漆里，使海于有蔽，渠弭于有渚，环山于有牢。”桓公曰：“吾欲北伐，何主？”管子对曰：“以燕为主。反其侵地柴夫、吠狗，使海于有蔽，渠弭于有渚，环山于有牢。”四邻大亲。既反侵地，正封疆，地南至于岱阴，西至于济，北至于河，东至于纪酅，有革车八百乘。择天下之甚淫乱者而先征之。

即位数年，东南多有淫乱者，莱、莒、徐夷、吴、越，一战帅服三十一国。遂南征伐楚，济汝，逾[①]方城，望汶山，使贡丝于周而反。荆州诸侯莫敢不来服。遂北伐山戎，刜令支、斩孤竹而南归。海滨诸侯莫敢不来服。与诸侯饰牲为载，以约誓于上下庶神，与诸侯戮力同心。西征攘白狄之地，至于西河，方舟设泭，乘桴济河，至于石枕。悬车束马，逾太行与辟耳之溪拘夏，西服流沙、西吴。南城于周，反胙于绛。岳滨诸侯莫敢不来服，而大朝诸侯于阳谷。兵车之属六，乘车之会三，诸侯甲不解累，兵不解翳，弢无弓，服无矢。隐武事，行文道，帅诸侯而朝天子。

【注释】

①逾：越过。

【译文】

齐桓公说："我想进攻南方，哪个国家让我们驻扎部队最合适呢？"管仲回答说："在鲁国驻扎部队。我们先把棠和潜这两个地方还给它，让我们的军队在海边有能隐蔽的地方，可以在海湾停驻，在山地驻扎更加安全。"桓公说："我想进攻西方，哪个国家让我们驻扎部队最合适呢？"管仲回答说："在卫国驻扎部队。我们先把以前侵占它的台、原、姑和漆里这四个地方还给它，让我们的军队在海边有能隐蔽的地方，可以在海湾停驻，在山地驻扎更加安全。"桓公说："我想进攻北方，哪个国家让我们驻扎部队最合适呢？"管仲回答说："在燕国驻扎部队。我们先把柴夫和吠狗这两个地方还给它，让我们的军队在海边有能隐蔽的地方，可以在海湾停驻，在山地驻扎更加安全。"所以齐国与周边国家都建立起良好的关系。归还了侵占邻国的土地，重新划定边界线，齐国的范围南面至阴，西面达济水，北面到黄河，东面临纪国鄑城，拥有兵车八百辆。然后选择最淫乱的国家首先发动战争。

齐桓公即位后的最初几年里，东南方有许多腐败的国家，如莱、莒、徐夷、吴和越等国，齐国一次性就打败了三十一个国家。于是又向南面进攻楚国，渡过汝水，翻越方城山，又望见了汶山，逼迫楚国向周王室朝贡，然后才撤军。荆州一带的诸侯国全都服从齐国的命令。于是又开始进攻北面的山戎，打败了令支，击溃孤竹然后才撤回军队。海边一带的诸侯国全都服从齐国的命令。齐国将与诸侯缔结盟约放在刷洗干净的牛身上，用来向神灵发誓，愿永远和诸侯们同心协力。齐国又向西面进攻，占领了白狄的土地，到达西河附近时，准备了船只和木筏，然后渡过黄河，到达晋国的石枕。为了通过高山深谷，军队将兵车悬吊起，勒紧马缰翻越太行山和辟耳山的拘夏峡谷，终于征服了西面的流沙和西吴。并且齐国还组织诸侯的军队守卫周的王城，讨伐晋乱，并帮助晋惠公夺回君位。北岳一带的诸侯全都服从齐国的命令，于是齐桓公在阳谷举办了大规模的诸侯盟会。在齐桓公执政期间，一共组织过阅兵仪式盟会六次，乘车举行盟会三次，诸侯们丢盔弃甲，将弓箭入库。消除战乱，推行文治，齐桓公带领各诸侯恢复了对周天子的朝见。

桓公霸诸侯

【原文】

桓公忧天下诸侯。鲁有夫人、庆父之乱，二君弑死，国绝无嗣。桓公闻之，使高子存之。狄人攻邢，桓公筑夷仪以封之，男女不淫，牛马选具。狄人攻卫，卫人出庐于曹，桓公城楚丘以封之。其畜散而无育，桓公与之系马三百。天下诸侯称仁焉。于是天下诸侯知桓公之非为己动也，是故诸侯归之。

桓公知诸侯之归己也，故使轻其币而重其礼。故天下诸侯罢马以为币，缕綦[①]以为奉，鹿皮四个；诸侯之使垂橐[②]而入，稛载[③]而归。故拘之以利，结之以信，示之以武，故天下小国诸侯既许桓公，莫之敢背，就其利而信其仁、畏其武。

桓公知天下诸侯多与己也，故又大施忠焉。可为动者为之动，可为谋者为之谋，军谭、遂而不有也，诸侯称宽焉。通齐国之鱼盐于东莱，使关市几而不征，以为诸侯利，诸侯称广焉。筑葵兹、晏、负夏、领釜丘，以御戎、狄之地，所以禁暴于诸侯也；筑五鹿、中牟、盖与、牡丘，以卫诸夏之地，所以示权于中国也。教大成，定三革，隐五刃，朝服以济河而无怵惕焉，文事胜矣。是故大国惭愧，小国附协。唯能用管夷吾、宁戚、隰朋、宾胥无、鲍叔牙之属而伯功立。

【注释】

①缕綦（qí）：用麻线织的带花纹的布。

②垂橐（tuó）：垂着空袋子。

③稛（kǔn）载：用绳束财物，载置车上。

【译文】

齐桓公对诸侯的事情十分担忧。鲁国发生了哀姜与庆父淫乱祸国的事，两个国君先后都被杀，君位没有人继承。桓公听说后，就派高子去鲁国立僖公做君王，这才将鲁国保存下来。北方的狄人进攻邢国，齐桓公就命人在夷仪修筑城堡，让邢国迁到那里，使邢国的百姓避免了狄人的侵略，就连牛马也得到保存。狄人进攻卫国，卫国的百姓被迫到曹邑避难，齐桓公就让他们在楚丘重建家园。他们的牲畜在战乱中丢失了，无法繁殖恢复，桓公就送给他们三百匹良马。这样所有诸侯都称赞桓公仁德。于是所有的诸侯都认为桓公的举动并不是为了自己，因此诸侯们都归附他。

齐桓公知道天下诸侯归附于自己，就让诸侯们带着微薄的礼物来朝见，而用重礼回赠他们。所以当时诸侯朝见时用劣马、粗布做礼物，甚至用四张鹿皮作为见面礼。有的诸侯的使者空着口袋而来，但都满载而归。由于齐国用利益笼络他们，用诚信结交他们，用武力威慑他们，因此诸侯没有敢违背与桓公缔结的盟约。这是因为贪图他的利益，相信他的仁义，害怕他的武力。

桓公知道天下诸侯都服从自己，所以又开始大力展现他的忠信，能帮助诸侯的就去行动，能为诸侯谋划的就去谋划。桓公派兵灭掉了不服从他的谭和遂这两个小国，把占领的土地分给诸侯国，所以诸侯们都纷纷称颂他宽宏大量。他取消了车夷一带鱼盐的禁运，命令关市只检查鱼盐而不收税，用这个办法可以让诸侯得到利益，诸侯们都纷纷称颂他的恩惠。他下令修筑葵兹、晏、负夏、领釜丘等几个要塞，用来防御戎人和狄人对周边各诸侯国的侵掠；他还下令修筑五鹿、中牟、盖与、牡丘等几个关隘，用来捍卫诸夏的要地，并向中原国家显示出自己的权威。桓公为了霸业所从事的教化终于有了很大的效果，打仗用的兵器都封存起来，即便只穿朝服西渡黄河与强大的晋国盟会也不会有丝毫害怕，这是文治方面的成功。大国都自惭不如，小国纷纷归附。这一切都是因为齐桓公重用管仲、宁戚、隰朋、宾胥无、鲍叔牙这批人才，他的霸业也正是因此而建立起来的。

晋语

献公将黜太子申生而立奚齐

【原文】

骊姬生奚齐，其娣生卓子。公将黜太子申生而立奚齐。里克、丕郑、荀息相见，里克曰：“夫史苏之言将及矣！其若之何？”荀息曰：“吾闻事君者，竭力以役事，不闻违命。君立臣从，何贰之有？”丕郑曰：“吾闻事君者，从其义，不阿[1]其惑。惑则误民，民误失德，是弃民也。民之有君，以治义也。义以生利，利以丰民，若之何其民之与处而弃之也？必立太子。”里克曰：“我不佞，虽不识义，亦不阿惑，吾其静也。”三大夫乃别。

蒸于武宫，公称疾不与，使奚齐莅事。猛足乃言于太子曰：“伯氏不出，奚齐在庙，子盍图乎！”太子曰：“吾闻之羊舌大夫曰：‘事君以敬，事父以孝。’受命不迁为敬，敬顺所安为孝。弃命不敬，作令不孝，又何图焉？且夫间[2]父之爱而嘉其贶，有不忠焉；废人以自成，有不贞焉。孝、敬、忠、贞，君父之所安也。弃安而图，远于孝矣，吾其止也。”

【注释】

①阿：迎合，屈从。

②间：背弃。

【译文】

骊姬生奚齐，她的妹妹生卓子。晋献公打算废掉原太子申生改立奚齐为太子。里克、丕郑、荀息三人会面时，里克说：“史苏的预言要成现实了，该怎么办啊？”荀息说：“我听说作为臣子就应该做好国君命令的事，没听说要违抗君命，国君决定的事臣子应当服从，怎么可以有二心呢？”丕郑说：“作为侍奉国君的臣子服从的是道义，不能屈服国君错误的命令。国君的错误会影响民众跟着一起犯错误从而丢失德行，这无异于抛弃民众。有国君，是为了确定上下之间礼义的，礼义可以生利益，而利益是用来改善民众生活的。怎么能与民众共处却抛弃他们呢？要让国君立申生为太子才对。”里克说：“我才能平庸，虽不懂得仁义，但也不会屈从国君的错误，我将保持沉默。”于是三位大夫告别了。

冬天祭祀祖庙时，献公称病没有参加，却让奚齐主持祭祀仪式。因此猛足对太子申生说：“不让长子出面，却让奚齐主持祭祀仪式，你如何考虑自身地位呢？”太子说：“我听羊舌大夫说过：‘要恭敬侍奉君主，要孝顺服侍父亲。’接受君命可以称作恭敬，按照父亲的意思去做事可以称作孝顺。违抗君命是不敬，擅自行动是不孝，我还能为自己考虑什么呢？离间父亲的爱却依然享受他的赏赐，那是不忠；废弃别人成全自己，那是不贞。孝、敬、忠、贞，是君父所喜欢的好品德。抛弃这些来考虑自己的地位，就远离了孝，我只有听从命运的安排了。”

优施教骊姬远太子

【原文】

公之优曰施，通于骊姬。骊姬问焉，曰：“吾欲作大事，而难三公子之徒，如何？”对曰：“早处之，使知其极。夫人知极，鲜有慢心；虽其慢，乃易残也。”骊姬曰：“吾欲为难，安始而可？”优施曰：“必于申生。其为人也，小心精洁，而大志重，又不忍人。精洁易辱，重偾①可疾，不忍人，必自忍也。辱之近行。”骊姬曰：“重，无乃难迁乎？”优施曰：“知辱可辱，可辱迁重；若不知辱，亦必不知固秉常矣。今子内固而外宠，且善否莫不信。若外惮善而内辱之，无不迁矣。且吾闻之：甚精必愚。精为易辱，愚不知避难。虽欲无迁，其得之乎？”是故先施谗于申生。

骊姬赂二五，使言于公曰：“夫曲沃，君之宗也；蒲与二屈，君之疆也，不可以无主。宗邑无主，则民不威；疆埸无主，则启戎心。戎之生心，民慢其政，国之患也。若使太子主曲沃，而二公子主蒲与屈，乃可以威民而惧戎，且旌②君伐。”使俱曰：“狄之广漠，于晋为都。晋之启土，不亦宜乎？”公悦，乃城曲沃，太子处焉；又城蒲，公子重耳处焉；又城二屈，公子夷吾处焉。骊姬既远太子，乃生之言，太子由是得罪。

【注释】

①偾（fèn）：僵化。

②旌：彰显。

【译文】

喜欢给晋献公表演的艺人叫施，与骊姬有私情。骊姬向他询问说：“我想做件大事，向三位公子发难，怎么办？”施回答说：“早点把他们的地位稳定下来，让他们认识到自己的地位已经无法上升。人如果认识到自己的地位已经到头了，就不敢再有非分之想。即便有心思，也很容易击败了。”骊姬又问：“我想发难，先从谁下手呢？”施回答说：“先从太子申生开始。他为人胆小，谨慎且精一纯洁，为人稳重，又不忍心害人。那精一纯洁的人，最容易受到羞辱；不忍心害人的人，就只能自忍。只要对他最近的行为进行诬蔑就行。”骊姬说：“那么稳重的人，恐怕很难动摇他。”施说：“只有懂得羞耻的人才能羞辱他，能够羞辱他，即便性格再稳重也会有所动摇。如果一个人不在乎羞辱，也不会固守常规而容易动摇了。现在你深得君心，深受宠爱，你说谁好谁坏，国君都不会怀疑。如果你表面做出善待申生，私下却用不义的罪名羞辱他，那他的意志一定会动摇。我还听说，过分聪明的人近于愚蠢。越聪明的人越容易受辱，就越不会躲避灾祸。即使想不动摇，他能做到吗？”于是骊姬就先对申生施加谗言。

骊姬先买通梁五和东关五，让他们向献公进言说：“曲沃，是宗庙所在之地；蒲和南北二屈，是边疆要地，必须得有人主管。宗庙所在地无人镇守，民众就不会畏惧；边疆要地无人镇守，更会引发戎狄侵略。戎狄产生侵略的野心，百姓怠慢国家的政令，这些都是国家的大患。如果派太子申生去管理曲沃的宗庙，派重耳和夷吾去主管蒲和南北二屈，定可以慑服民众并且让戎狄惧怕，又能彰明了您的功绩。”骊姬又指使这两个人一起对献公说：“戎狄有广阔的土地，让它成为晋国的下邑，晋国开拓了疆土，那不是很好的事吗？”献公听了十分高兴，就下令派太子申生前往宗庙，又下令派公子重耳前往蒲；又下令派公子夷吾前往南北二屈。骊姬达到支使太子远离国都的目的之后，就开始编造谗言，太子申生从此蒙受不白之冤。

优施教骊姬谮申生

【原文】

优施教骊姬夜半而泣谓公曰："吾闻申生甚好仁而强，甚宽惠而慈[1]于民，皆有所行之。今谓君惑[2]于我，必乱国，无乃以国故而行强于君。君未终命而不殁，君其若之何？盍杀我，无以一妾乱百姓。"公曰："夫岂惠其民而不惠于其父乎？"

骊姬曰："妾亦惧矣。吾闻之外人之言曰：为仁与为国不同。为仁者，爱亲之谓仁；为国者，利国之谓仁。故长民者无亲，众以为亲。苟利众而百姓和，岂能惮君？以众故不敢爱亲，众况[3]厚之，彼将恶始而美终，以晚盖者也。凡民利是生，杀君而厚利众，众孰沮之？杀亲无恶于人，人孰去之？苟交利而得宠，志行而众悦，欲其甚矣，孰不惑焉？虽欲爱君，惑不释也。今夫以君为纣，若纣有良子，而先丧纣，无章其恶而厚其败。钧之死也，无必假手于武王，而其世不废，祀至于今，吾岂知纣之善否哉？君欲勿恤，其可乎？若大难至而恤之，其何及矣！"

公惧曰："若何而可？"骊姬曰："君盍老而授之政。彼得政而行其欲，得其所索，乃其释君。且君其图之，自桓叔以来，孰能爱亲？唯无亲，故能兼翼。"公曰：

"不可与政。我以武与威，是以临诸侯。未殁而亡政，不可谓武；有子而弗胜，不可谓威。我授之政，诸侯必绝；能绝于我，必能害我。失政而害国，不可忍也。尔勿忧，吾将图之。"骊姬曰："以皋落狄之朝夕苛我边鄙，使无日以牧田野，君之仓廪固不实，又恐削封疆。君盍使之伐狄，以观其果于众也，与众之信[4]辑睦焉。若不胜狄，虽济其罪，可也。若胜狄，则善用众矣，求必益广，乃可厚图也。且夫胜狄，诸侯惊惧，吾边鄙不儆，仓廪盈，四邻服，封疆信，君得其赖，不知可否，其利多矣。君其图之！"

公悦，是故使申生伐东山，衣之偏裻之衣，佩之以金玦。仆人赞闻之，曰："太子殆[5]哉！君赐之奇，奇生怪，怪生无常，无常不立。使之出征，先以观之，故告之以离心，而示之以坚忍之权，则必恶其心而害其身矣。恶其心，必内险之；害其身，必外危之。危自中起，难哉！且是衣也，狂夫阻之衣也。其言曰：'尽敌而反。'虽尽敌，其若内谗何！"申生胜狄而反，谗言作[6]于中。君子曰："知微。"

【注释】

①慈：慈爱。

②惑：迷惑。

③况：更加。

④信：确。

⑤殆：危险。

⑥作：指散布。

【译文】

优施献计让骊姬深夜哭着对献公说："我听说申生为人比较仁义并且势力很大，对百姓又很仁爱，这些都是很有用心的举动。现在他说国君被我迷惑，必定会因此而乱国，我害怕他会以国家利益作借口对你不利。你还健在，准备如何应付他呢？怎么不杀了我，不要为了我一个女人而让百姓遭受苦难。"献公问："他难道会爱百姓却不爱他的父亲吗？"

骊姬说："我也正担心这个啊。我听别人说，仁义之事和效忠国家不一样。施行仁义的人，把爱自己的亲人当成仁；但效忠国家的人，把安定社稷当作仁。为此百姓的领袖没有私亲，把百姓当作亲人。假如他认为对多数人有利而且能把百姓团结在自己周围，还怕弑君之名？为了多数人的原因而不爱私亲，大家会更加拥护他，开始虽有他开始弑君的恶声，但是最终能获得忠于国家的美名，用后来的善行弥补前面的罪恶。百姓总是追求利的。杀了国君而让百姓得到厚利，百姓有谁还会反对他呢？杀了父亲但没有加害于他人，百姓有谁还会背叛他呢？假如大家都得利而受宠，他的志向完成了使大家高兴，大家会更拥护他，谁能不被他所迷惑？就算想爱国君，但是这种迷惑解脱不了啊。如今且把国君比作纣王，如果纣王有个好儿子，先把纣王杀了，这样自然不会张扬纣的罪恶并加重殷商的溃败。一样是死，何必借周武王之手，况且商的国祚不会中断，祖宗现在还得到祭祀，我们如何会知道纣王其人是善是恶呢？你想不担心这类事的出现，能做得到吗？等到大祸临头时才顾虑，就来不及了！"

献公担心地问：“如何才好呢？”骊姬说：“你何不称老退位把国政交给申生。申生掌控了国政，按自己心愿做事，得到了他想要的东西，就会放过你。你三思一下，从你的曾祖桓叔以来，有谁爱过亲人？正由于不爱私亲，因此才能把本家占有的翼地兼并了。”献公说：“不能把国政交出去。我凭借武功和威势，才得以跻身诸侯之列。没死就丢掉国政，不能算有武功；连儿子也信服不了，不能算有威势。我把国政交给他，诸侯一定会和我们断绝关系；能断绝关系，一定会加害于我们。丢掉国政而且害了国家，这是不能宽恕的。你不用担心，我有办法对付他。”骊姬说：“皋落狄不分早晚侵犯我国的边境，使那里的百姓没有一天可以到田野放牧牛羊。国君的仓库本来就不够充实，又担心外族侵犯我国的疆土。为何不派申生去讨伐狄国，正好观察他是否能带兵，与百姓的关系是否确实很和睦。假如他不能战胜狄国，那自然就有罪名，可以加罪于他；假如胜了狄国，那就说明他很会用兵，他的需求会更多，我们就更应该想办法对付他。何况战胜狄国，诸侯将会吃惊担心，我们的边境将不必戒备，国库充实，周围畏服，疆界不会有争议，你获得这些利益，并且知道如何去对付申生，好处太多了。你为何不谋划一下！”

献公听了非常高兴，便决定派申生讨伐东山的狄人，让他穿一件左右颜色不同的衣服，佩戴一块金玦。申生的仆人赞听到以后说：“太子有危险了！国君赐给他奇怪的东西，奇就要生怪，怪就要出现危险，危险预示着太子不能继立为君。派遣他出征，先以此观察他和百姓的关系，用左右颜色不同的衣服象征父子之间离心离德，用金玦暗示父子之间的嫌隙难以弥合，这就一定是讨厌他的心性而想祸害于他的身体了。讨厌他的心性，就一定在内心计划怎样使他陷于危险；要祸害于他的身体，就一定在外面使他陷于绝境。危险产生在内部，很难摆脱了！并且那件衣服，是须让方相氏诅咒后才可以穿的。方相氏的诅咒说：‘消灭敌人而归回。’就算消灭了敌人，申生又能对内部的谗言如何呢？”申生击败了狄国回来后，对他不利的谗言从宫中开始蔓延。有识之士说：“赞这个人见微知著。”

骊姬谮杀太子申生

【原文】

反自稷桑，处五年，骊姬谓公曰：“吾闻申生之谋愈深。日，吾固告君曰得众，众不利，焉能胜狄？今矜[1]狄之善，其志益广。狐突不顺，故不出。吾闻之，申生甚好信而强，又失言于众矣，虽欲有退，众将责焉。言不可食，众不可弭，是以深谋。君若不图，难将至矣！”公曰：“吾不忘也，抑未有以致罪焉。”

骊姬告优施曰：“君既许我杀太子而立奚齐矣，吾难里克，奈何！”优施曰：“吾来里克，一日而已。子为我具特羊之飨，吾以从之饮酒。我优也，言无邮。”骊姬许诺，乃具，使优施饮里克酒。中饮，优施起舞，谓里克妻曰：“主孟啖我，我教兹暇豫[2]事君。”乃歌曰：“暇豫之吾吾，不如鸟乌。人皆集于苑，己独集于枯。”里克笑曰：“何谓苑，何谓枯？”优施曰：“其母为夫人，其子为君，可不谓苑乎？其母既死，其子又有谤，可不谓枯乎？枯且有伤。”优施出，里克辟奠，不飧而寝。

夜半，召优施，曰：“曩而言戏乎？抑有所闻之乎？”曰：“然。君既许骊姬杀太子而立奚齐，谋既成矣。”里克曰：“吾秉君以杀太子，吾不忍。通复故交，吾不敢。中立其免乎？”优施曰：“免。”旦[3]而里克见丕郑，曰：“夫史苏之言将及矣！优施告我，君谋成矣，将立奚齐。”丕郑曰：“子谓何？”曰：“吾对以中立。”丕郑曰：“惜也！不如曰不信以疏之，亦固太子以携之，多为之故，以变其志，志少疏，乃可间也。今子曰中立，况固其谋也，彼有成矣，难以得间。”里克曰：“往言不可及也，且人中心唯无忌之，何可败也！子将何如？”丕郑曰：“我无心。是故事君者，君为我心，制不在我。”里克曰：“弑君以为廉，长廉以骄心，因骄以制人家，吾不敢。抑挠志[4]以从君，为废人以自利也，利方以求成人，吾不能。将伏也！”明日，称疾不朝。三旬，难乃成。

骊姬以君命命申生曰：“今夕君梦齐姜，必速祠而归福。”申生许诺，乃祭于曲沃，归福于绛。公田，骊姬受福，乃置鸩于酒，置堇于肉。公至，召申生献，公祭之地，地坟。申生恐而出。骊姬与犬肉，犬毙；饮小臣酒，亦毙[5]。公命杀杜原款。申生奔新城。杜原款将死，使小臣圉告于申生，曰：“款也不才，寡智不敏，不能教导，以至于死。不能深知君之心度，弃宠求广土而窜伏[6]焉；小心狷介，不敢行也。是以言至而无所讼之也，故陷于大难，乃逮于谗。然款也不敢爱死，唯与谗人钧是恶也。吾闻君子不去情，不反谗，谗行身死可也。犹有令名焉。死不迁情，强也。守情说父，孝也。杀身以成志，仁也。死不忘君，敬也。孺子勉之！死必遗爱，死民之思，不亦可乎？”申生许诺。

人谓申生曰：“非子之罪，何不去乎？”申生曰：“不可。去而罪释，必归于君，是怨君也。章父之恶，取笑诸侯，吾谁乡而入？内困于父母，外困于诸侯，是重困也。弃君去罪，是逃死也。吾闻之：‘仁不怨君，智不重困，勇不逃死。’若罪不释，去而必重。去而罪重，不智。逃死而怨君，不仁。有罪不死，无勇。去而厚怨，恶不可重，死不可避，吾将伏⑦以俟命。”

骊姬见申生而哭之，曰：“有父忍之，况国人乎？忍父而求好人，人孰好之？杀父以求利人，人孰利之？皆民之所恶也，难以长生！”骊姬退，申生乃雉经于新城之庙。将死，乃使猛足言于狐突曰：“申生有罪，不听伯氏，以至于死。申生不敢爱⑧其死，虽然，吾君老矣，国家多难，伯氏不出，奈吾君何？伯氏苟出而图吾君，申生受赐以至于死，虽死何悔！”是以谥为共君。

骊姬既杀太子申生，又谮⑨二公子曰：“重耳、夷吾与知共君之事。”公令阉楚刺重耳，重耳逃于狄；令贾华刺夷吾，夷吾逃于梁。尽逐群公子，乃立奚齐焉。始为令，国无公族焉。

【注释】

①矜：夸耀。

②暇豫：悠闲逸乐。

③旦：第二天早晨。

④挠志：违心。

⑤毙：死。

⑥窜伏：逃匿，隐藏。

⑦伏：指留下来。

⑧爱：怜惜。

⑨谮（zèn）：诬陷，中伤。

【译文】

太子申生从稷桑回来以后，五年之后，骊姬对献公说："我听说申生谋害你的计划更完善了。过去，我告诉你说申生很得人心。假如他不给将士们好处，怎么可能打败狄人？现在别人夸耀他征伐狄人时善于用兵，他的野心更加大了。狐突由于太子处境不顺利，因此躲在家里不敢出来。我听说，申生非常讲信用，争强好胜，他已把夺位的意图透露给众人，假如想罢休，众人也要批评他的。说过的话要算数，对众人又不能阻止，因此他会考虑得非常周密。国君假如不采取对策，大难快要到了！"献公说："我忘不了，只是还没有找到给他降罪的理由。"

骊姬便去告诉优施说："国君已经答应我杀掉太子改立奚齐了，但我觉得里克很难对付，怎么办才好？"优施说："我把里克请来，一天便能使他就范。你为我备好整羊的宴席，我们一起喝酒。我是个戏子，话说过头不要紧。"骊姬答应下来，于是备好了宴席，让优施送去给里克一起喝酒。快喝醉时，优施站起来跳舞，对里克的夫人说："夫人请我吃一顿的话，我会教这位大夫怎么轻松愉快地侍奉好国君。"立即就唱起来："一心想侍奉好国君啊，但不敢主动亲近他。这个人非常笨啊，他的智慧还不如鸟雀乌鸦。别人都去了草木丰盛的地方，但他独自留在枯朽的枝丫。"里克笑着问："哪里叫草木丰盛的地方？哪里叫枯朽的枝丫？"优施说："母亲是国君的夫人，儿子快要做国君，难道不叫草木丰盛的地方吗？还有一个母亲死了，儿子还被人说坏话，难道不叫枯朽的枝丫吗？这枯枝还会断掉呢。”优施走后，里克收了酒菜，没有吃饭就睡下了。

半夜时，他把优施叫来，问道：“你刚才说的话是开玩笑呢？还是听到了什么风声？”优施说：“确实有这样的事。国君已经同意骊姬杀死太子改立奚齐，计划已经决定了。”里克说：“假如要我顺从国君杀死太子，我不忍心。假如和往常一样继续与太子交往，我不敢，保持中立的态度也许能免祸吧？”优施说：“可免。”早上，里克去见丕郑，说：“史苏预言的事即将发生！优施告诉我，国君计划立奚齐为太子。”丕郑问：“你和优施说什么了？”里克说：“我说要保持中立。”丕郑说：“那可惜了！不如就说不相信有这回事而让他们心灰意冷吧，这样可以分化他们的党羽从而巩固了太子的地位。应该多想些让他们改变计划的方法，他们的计划会被拖延，那就可以找机会挑拨他们了。现在你保持中立，就会越发加强他们的阴谋，他们如果准备好后就不容易被挑拨了。”里克说：“我说过的话已无可挽回，何况骊姬肆无忌惮，又那么顽固，又怎么能打败他们呢！不知道你要怎么打败他们呢？”丕郑说：“我没有什么想法。我是侍奉国君的人，国君的意志就是我的意志，决定权不在我手上。”里克说：“把弑君救太子当作是耿直，夸大这种耿直就会骄傲，凭这种心理去断定父子之间的关系，我不敢那么做。但要违心地服从国君，废了太子给自己换取私利，或者利用手段与奚齐合作，我也做不到。那我只好隐退了！”第二天，便称病不去上朝。一个月过后，骊姬计划的政变发生了。

骊姬以国君的名义命令申生说：“昨夜国君梦见你的

母亲，你必须前去祭祀她，然后送去祭祀用的酒肉。”申生照办，到祖庙祭祀，回来后把祭祀的酒肉送到宫中。献公出去打猎正好回来，骊姬收好祭品后，便把鸩毒投入酒中，又把乌头放入肉中。献公回来，让申生献上酒肉，献公把酒洒在地上祭地，地马上就鼓了起来。这时申生惊恐地跑出去。骊姬把肉喂狗，狗就死了；把酒给近侍喝，近侍也死了。献公下令杀死了申生的师傅杜原款，申生逃到曲沃。杜原款临死前，吩咐一个叫圉的小臣转告申生，说：“我没有才干，缺少智谋，不能负教导之责，所以被处死。我不能及时洞察国君的心思，让你及早地抛弃太子的身份跑到别国隐伏下来。我又生性拘谨又恪守本分，不敢和你一起出走。因此听到对你的诽谤，我也没有为你解释，让你陷于危难中，遭受不白之冤。我杜原款并不怕死，遗憾的只是和骊姬这些小人一起分担了罪责。我听说君子不会丢掉忠诚，不会因谗言边节，被谗言陷害而死并不是不可以，还会有好名声留存于世。到死也不改变对国君的忠诚，这是坚强的表现。坚持忠诚让父君高兴，这是孝顺的表现。放弃生命却达到自己的志向，这是仁德的表现。临死还想到保护国君，这是恭敬的表现。你要努力啊！死后一定会被百姓爱戴，让百姓思念，那不也是值得的吗？”申生答应了。

有人对申生说：“不是你的错，怎么不想离开晋国呢？”申生说：“不行。我走了虽能解脱罪责，但责任就会落在父君身上，这是我在怨恨父君。暴露了父君的罪恶，会让诸侯国耻笑，我还能走到哪呢？对内不能见父母，对外也不能见诸侯，这是双重的困难啊。背弃国君解脱罪责，只是为了逃避一死。我听说：‘仁爱的人不会怨恨国君，睿智的人不会内外交困，勇敢的人不会逃避死亡。’如果罪名得不到解脱，离开就会让它变得更重。因出走而加重罪名，这是不明智的。逃避死亡并且怨恨国君，这是不仁德的。有罪名却不敢去死，这是不勇敢的。出走会加重罪名，我的罪名不能再增加了。死亡既然已经无法逃避，我就等待命运的安排。

骊姬去曲沃见申生，哭闹着说："你对父亲都忍心谋害，难道还会爱国人吗？忍心谋害父亲却还希望国人爱戴，谁会对你有好感啊？想杀害父亲去为国人谋利，国人谁会相信这对自己有利呢？这些都是国人所憎恨的，这样的人怎能活得那么长久！"骊姬走后，申生就在曲沃的祖庙里上吊自杀了。临死前，他派猛足去告诉狐突说："我是有罪的，以前不听你的劝告，所以落到死的地步。我不敢吝惜自己的生命，虽然这样，但是国君毕竟年纪大了，国家又多难，你不出来辅佐他，他要怎么办呢？如果你肯出来辅佐他，我申生就算是受到你的恩赐才死的，也就没有什么可后悔的了！"所以他后来的谥号叫共君。

骊姬逼杀太子申生后，又诬陷两位公子说："重耳、夷吾都参与了申生的阴谋。"于是献公就派阉人伯楚前去刺杀重耳，重耳逃亡到狄；又派大夫贾华前去刺杀夷吾，夷吾逃到梁。在把其余的公子也都赶跑了以后，就立奚齐为太子。从此制定法令，不准诸公子回到晋国。

里克杀奚齐而秦立惠公

【原文】

二十六年，献公卒。里克将杀奚齐，先告荀息曰："三公子之徒将杀孺子，子将如何？"荀息曰："死吾君而杀其孤，吾有死而已，吾蔑[1]从之矣！"里克曰："子死，孺子立，不亦可乎？子死，孺子废，焉用死？"荀息曰："昔君问臣事君于我，我对以忠贞。君曰：'何谓也？'我对曰：'可以利公室，力有所能，无不为，忠也。葬死者，养生者，死人复生不悔，生人不愧，贞也。'吾言既往矣，岂能欲行吾言而又爱吾身乎？虽死，焉避之？"

里克告丕郑曰："三公子之徒将杀孺子，子将何如？"丕郑曰："荀息谓何？"对曰："荀息曰'死之'。"丕郑曰："子勉之。夫二国士之所图，无不遂也。我为子行之。子帅七舆大夫以待我。我使狄以动之，援秦以摇之。立其薄者可以得重赂，厚者可使无入。国，谁之国也！"里克曰："不可，克闻之，夫义者，利之足也；贪者，怨之本也。废义则利不立，厚贪则怨生。夫孺子岂获罪于民？将以骊姬之惑蛊君而诬国人，谗群公子而夺之利，使君迷乱，信而亡[2]之，杀无罪以为诸侯笑，使百姓莫不有藏恶于其心中，恐其如壅大川，溃而不可救御也。是故将杀奚齐而立公子之在外者，以定民弭忧，于诸侯且为援，庶几曰诸侯义而抚之，百姓欣而奉之，国可以固。今杀君而赖其富，贪且反义。贪则民怨，反义则富不为赖。赖富而民怨，乱国而身殆，惧为诸侯载，不可常也。”丕郑许诺。于是杀奚齐、卓子及骊姬，而请君于秦。

既杀奚齐，荀息将死之。人曰：“不如立其弟而辅之。”荀息立卓子。里克又杀卓子，荀息死之。君子曰：“不食其言矣。”

既杀奚齐、卓子，里克及丕郑使屠岸夷告公子重耳于狄，曰：“国乱民扰，得国在乱，治民在扰，子盍入乎？吾请为子钬。”重耳告舅犯曰：“里克欲纳我。”舅犯曰：“不可。夫坚树在始，始不固本，终必槁落。夫长国[3]者，唯知哀乐喜怒之节，是以导民。不哀丧而求国，难；因乱以入，殆。以丧得国，则必乐丧，乐丧必哀生。因乱以入，则必喜乱，喜乱必怠德。是哀乐喜怒之节易也，何以导民？民不我导，谁长？”重耳曰：“非丧谁代？非乱谁纳我？”舅犯曰：“偃也闻之，丧乱有小大。大丧大乱之剡也，不可犯也。父母死为大丧，谗在兄弟为大乱。今适当之，是故难。”

公子重耳出见使者，曰：“子惠顾亡人[4]重耳，父生不得供备洒扫之臣，死又不敢莅丧以重其罪，且辱大夫，敢辞。夫固国者，在亲众而善邻，在因民而顺之。苟众所利，邻国所立，大夫其从之，重耳不敢违。”

吕甥及郤称亦使蒲城午告公子夷吾于梁，曰：“子厚赂秦人以求入，吾主子。”夷吾告冀芮曰：“吕甥欲纳我。”冀芮曰：“子勉之。国乱民扰，大夫无常，不可失也。非乱何入？非危何安？幸苟君之子，唯其索之也。方乱以扰，孰适御我？大夫无常，苟众所置，孰能勿从？子盍尽国以赂外内，无爱虚以求入，既入而后图聚。”公子夷吾出见使者，再拜稽首许诺。

吕甥出告大夫曰：“君死自立则不敢，久则恐诸侯之谋，径召君于外也，则民各有心，恐厚乱，盍请君于秦乎？”大夫许诺。乃使梁由靡告于秦穆公曰：“天降祸于晋国，谗言繁兴，延及寡君之绍续昆裔，隐悼播越，托在草莽，未有所依。又重之以寡君之不禄，丧乱并臻。以君之灵，鬼神降衷，罪人克伏其辜，群臣莫敢宁处，将待君命。君若惠顾社稷，不忘先君之好，辱收其逋迁[⑤]裔胄而建立之，以主其祭祀，且镇抚其国家及其民人，虽四邻诸侯之闻之也，其谁不儆惧于君之威，而欣喜于君之德？终君之重爱，受君之重贶，而群臣受其大德，晋国其谁非君之群隶臣也？”

秦穆公许诺。反使者，乃召大夫子明及公孙枝，曰：“夫晋国之乱，吾谁使先，若夫二公子而立之？以为朝夕之急。”大夫子明曰：“君使絷也。絷敏且知礼，敬以知微。敏能窜谋，知礼可使；敬不坠命[⑥]，微知可否。君其使之。”

乃使公子絷吊公子重耳于狄，曰：“寡君使絷吊公子之忧，又重之以丧。寡人闻之，得国常于丧，失国常于丧。时不可失，丧不可久，公子其图之！”重耳告舅犯。舅犯曰：“不可。亡人无亲，信仁以为亲，是故置之者不殆。父死在堂而求利，人孰仁我？人实有之，我以侥幸，人孰信我？不仁不信，将何以长利？”公子重耳出见使者曰：“君惠吊亡臣，又重有命。重耳身亡，父死不得与于哭泣之位，又何敢有他志以辱君义？”再拜不稽首，起而哭，退而不私[⑦]。

公子絷退，吊公子夷吾于梁，如吊公子重耳之命。夷吾告冀芮曰：“秦人勤[8]我矣！”冀芮曰：“公子勉之。亡人无狷洁，狷洁不行。重赂配德，公子尽之，无爱财！人实有之，我以侥幸，不亦可乎？”公子夷吾出见使者，再拜稽首，起而不哭，退而私于公子絷曰：“中大夫里克与我矣，吾命之以汾阳之田百万。丕郑与我矣，吾命之以负蔡之田七十万。君苟辅我，蔑天命矣！亡人苟入扫宗庙，定社稷，亡人何国之与有？君实有郡县，且入河外列城五。岂谓君无有，亦为君之东游津梁之上，无有难急也。亡人之所怀挟缨纕，以望君之尘垢者。黄金四十镒，白玉之珩六双，不敢当公子，请纳之左右。”

公子絷返，致命[9]穆公。穆公曰：“吾与公子重耳，重耳仁。再拜不稽首，不没为后也。起而哭，爱其父也。退而不私，不没于利也。”公子絷曰：“君之言过矣。君若求置晋君而载之，置仁不亦可乎？君若求置晋君以成名于天下，则不如置不仁以猾其中，且可以进退。臣闻之曰：‘仁有置，武有置。仁置德，武置服。’”是故先置公子夷吾，寔为惠公。

【注释】

①蔑：不，无。

②亡：使流亡，赶走。

③长国：管理国家，即做国家的君主。

④亡人：逃亡在外的人。

⑤逋（bū）迁：流亡迁移。

⑥坠命：有辱使命。

⑦私：指私下交谈。

⑧勤：帮助。

⑨致命：复命。

【译文】

公元前651年，晋献公去世。里克要杀掉奚齐，就事先告诉荀息说："三位公子的党徒要杀奚齐，你们怎么想？"荀息说："我们的国君刚去世就要杀他的儿子，我宁愿死，也不会听从他们！"里克说："如果因为你的死，奚齐可以立为国君，那样不是很值得吗？但你死了，奚齐一样会被废黜，你又何必去死呢？"荀息说："先君曾问过我侍奉国君的态度，我回答说忠贞。先君问：'什么是忠贞？'我回答说：'只要利于国家，都会尽全力去完成，这是忠。埋葬国君，辅佐继位的国君，对死而复生的不觉得后悔，对活着的不感到惭愧，这是贞。'我的话已经说完了，怎么能想实践我的话却吝惜我的生命呢？即便是死，我又怎么会逃避呢？"

里克又问丕郑："三位公子的党羽要杀奚齐，你打算怎么做？"丕郑问："荀息什么意思？"里克回答说："荀息说他愿为奚齐而死。"丕郑说："你努力吧。两个国士所策划的事，都会成功的。我会帮助你一起行动。你带着申生手下的七位大夫等我，我会让狄国行动起来，并且联络秦国打击奚齐的势力。拥戴人望比较差的人做国君，我们可以让他获得重酬，人望好的我们可以让他回不到晋国。晋国还会是谁的天下呢！"里克说："不可以。我听说，义是利的基础；怨恨产生的原因是贪利。废弃义就谈不上得利，贪欲深了怨恨就会萌发。那奚齐难道得罪了民众吗？民众的怨恨是由于骊姬迷乱国君并且欺骗了百姓。她诬陷众位公子，夺去他们的利益，使国君犯错，听信她的谗言，逼杀无辜的申生而被众诸侯取笑，让百姓无不把憎恨藏在心里，这就像堵塞大河一样，一旦溃决了就再也无法挽救。所以我们想杀了奚齐而拥立逃亡在外的公子为君，是为了安定百姓并且消除忧患，并且能够指望得到诸侯的援助。或者可以说，诸侯觉得合乎义的就帮助他，百姓喜欢的就尊奉他，国家才能稳定。现在假如企图通过杀了即位的新君来谋取个人的利益，就是贪利并且违背了义。贪图利益则民众怨恨，背义则好处还会失去。为了一点好处招致民众的怨恨，会乱国而身危，还要害怕被诸侯记录于史，这样做是不符常理的。”丕郑接受了里克的建议，所以杀了奚齐、卓子和骊姬，请求秦国帮助立一个国君。

奚齐被杀后，荀息曾准备随奚齐而死。有人说：“不如立奚齐的弟弟辅佐他。”荀息便立了卓子。里克又杀了卓子，荀息最终为之而死。君子说：“荀息不说假话。”

杀掉奚齐和卓子以后，里克和丕郑派屠岸夷去狄国告诉公子重耳说：“国家混乱，百姓受到惊扰，动乱时才有获得君位的机会，百姓受到惊扰时反而更好治理，你为何不回国呢？让我们为你回国扫清道路。”重耳对舅舅子犯说：“里克想让我回国继承君位。”子犯说：“不可以。坚固的大树在于开始，开始不扎好根基，一定会枯萎凋落。君临天下的人，一定要懂得喜怒哀乐的礼节，用来训导百姓。服丧期间不哀痛却想谋求君位，很难成功；乘国家混乱之机想回国执政，必然有危险。由于国丧而获得君位，就会把国丧当成乐事，以国丧为乐事一定会导致悲伤。因为混乱而得以回国，便会把混乱当作喜事，把动乱看作喜事一定会放松道德的修养。这些都显然与喜怒哀乐的礼节互相违背，还如何来训导百姓呢？民众不听从我们的引导，还怎么当国君？”重耳说：“假如不是国丧，谁有机会得到君位？假如不是混乱，谁会接受我？”子犯说：“我听说，丧乱有大小之分。大丧大乱的锋芒，是不能冒犯的。父母死去是大丧，兄弟不信任是大乱，现在你正处于这种境地，因此很难成功。”

然后公子重耳出来接待使者，说：“承蒙你的好意，来看望我这个逃躲在外的人。父亲没死时，我不能尽孝敬的义务。父亲死后，又不可以回去操办丧事而加重了我的罪行，并且玷辱了大夫们，因此冒昧地谢绝你们的建议。稳固国家的人，要亲和民众，处理好与邻国的关系，还要体察百姓的情绪以顺应民心。假如民众觉得有利，邻国愿意拥护，大夫们都顺从，我重耳绝对不敢违背。”

吕甥和郤称也派蒲城午到梁国对公子夷吾提议说：“你把厚礼送给秦国，请求他们帮助你回国继承王位，我们在国内接应你。”夷吾告诉冀芮说：“吕甥准备拥立我为国君。”冀芮说：“你努力吧。国家混乱民众惊扰，大夫们没有主导，不能丢掉这个好机会。不是混乱哪有机会回国继位？不是百姓有危难，为何要立君以安民？还好你是国君的儿子，因此找到你了。现在正逢国家混乱民众惊扰，谁能阻挡我们？大夫们没有主导，假如大家立你为国君，谁敢不服从？你为何不用晋国所有的财富去收买国外诸侯和国内的大夫，不要害怕国库会空虚，以求得回国继位，回国后还可以设法聚敛财富。”然后公子夷吾出来接待使者，跪拜磕头两次同意了建议。

吕甥出来告诉大夫们说：“国君已死，我们不敢独自立一个新君。时间拖得太长怕诸侯算计，直接从国外接回公子，又怕百姓意见不一，加重国家的混乱，为何不请求秦国帮助我们立君呢？”大夫们答应了。于是就派梁由靡向秦穆公说：“上天降灾难于晋国，谗言四起，波及先君的几位公子。他们为此忧伤恐惧，被迫逃躲到国外隐匿民间，没有依托。而且加上先君死去，使国丧和祸患一起临头。多亏您的灵威，鬼神发了善心，让有罪的骊姬得到了报应。如今晋国的大臣们不敢安定地生活，全部在等待您的命令。您如果能仁慈地关注晋国的命运，不忘和先君的友好关系，请收留一位逃亡在外的公子并帮助他继承君位，以便让他主持晋国的祭祀，镇抚国家和民众。假如四面的邻国诸侯听到您这样做，谁能不害怕您的威势，同时赞赏您的仁德？您对晋国一直如一的厚爱，使晋国得到您的重赐，晋国的群臣感受到您的大恩大德，谁不愿意成为供您驱使的臣子呢？”

秦穆公同意了吕甥的请求，打发梁由靡回晋国，然后召见大夫孟明视和公孙枝，问：“晋国混乱，我应该派谁去重耳和夷吾处，观察哪一个适合立为新君，以解决晋国紧急的继承问题呢？”大夫孟明视说：“国君派遣公子絷去吧。公子絷聪敏知礼，待人恭敬并且能洞察精微的道理。聪敏可以熟谙谋略，知礼可以派作使者；恭敬不会辜负君命，观察精微就可以判断立谁为君。你应该派他去。”

然后秦穆公就派公子絷去狄国吊慰公子重耳，说：“我的国君派遣我来慰问你的逃躲之忧和丧亲之痛。我听说：获得国家常常在国丧的时候，失去国家也经常在国丧的关头。时机不能放过，国丧的期限不会太长时间，请公子一定要好好考虑！”重耳把他说的话告诉舅舅子犯。子犯说：“不行。逃躲在外的人没人亲近，唯有诚信仁德，才能获得人们的亲近，拥护这样的人做国君才不危险。父亲才死不久，灵柩还停在堂上便图利，哪个人会认为我们仁德？别的公子也有继承君位的权利，我们假如凭侥幸之心争先，哪个人会觉得我们诚信？不仁不信，又怎么能有长时间的利益呢？”于是公子重耳出来接见公子絷说：“多谢你来看望逃躲之人，又拥有帮助我回国的使命。可是我重耳是逃亡在外之人，父亲死了都不可以获得哭丧的位置，又怎么会有其他想法以玷辱你的义举呢？”说完只跪拜但不磕头，然后站起来哭泣，退下后也没有私下回访公子絷。

公子絷离开狄国后，又去了梁国，像吊慰重耳一样吊慰夷吾。夷吾对冀芮说：“秦国会帮助我的！”冀芮说：“公子努力吧。逃亡在外的人无谓洁身自好，洁身自好成不了大事。应该利用重礼去酬谢帮过你的人，你尽力去办，不要吝惜财物！其他公子也有继承君位的权利，我们凭借侥幸去争一争，不也可以吗？”于是公子夷吾去见公子絷行礼，站起来不哭泣，退下后又私底下访问公子絷说：“中大夫里克已经支持我做国君了，我下令把汾阳一带的百万亩田地赐给他。丕郑也已经支持我做国君了，我命令把负蔡一带的七十万亩田地赐给他。秦君如果可以帮助我，那我就不再求上天特别眷顾了！如果我可以回国，安定社稷，一个流亡的人还会计较什么国土？秦君有的是郡县土地，我还会奉上黄河西面的五座城池，这不是因为秦君没有，而是因为秦君东游到黄河桥梁之上时，就不会有什么为难的事了。我愿执鞭牵马，跟随在秦君的车尘之后。另外我会送上黄金八百两、白玉作的装饰六双，不敢用此来报答公子，就请打赏给随从。”

公子絷回到秦国后，向秦穆公复命。穆公说：“我支持公子重耳，重耳仁德。他只跪拜但不磕头，这表明他不贪图继承君位。站起来哭泣，表现出他爱他的父亲。退下后又没有私自拜访，这是不汲汲于私利的表现。”公子絷说：“国君说错了。您如果是为了成全晋国，那么立一个仁德的公子也是可以的。您如果是为了在天下成就秦国的威名，就不如立一个不仁德的公子来扰乱晋国，并且还能够驾驭它。我听说：‘有为了实行仁道辅立别国国君的，有为了显示武威辅立别国国君的。如果为实行仁道就辅立有德的，如果为显示武威就辅立服从听话的。’”所以秦国先辅立公子夷吾，这就是晋惠公。

惠公杀丕郑

【原文】

惠公既即位，乃背秦赂。使丕郑聘于秦，且谢之。而杀里克，曰：“子杀二君与一大夫，为子君者，不亦难乎？”丕郑如秦谢缓赂，乃谓穆公曰：“君厚问以召吕甥、郤称、冀芮而止之，以师奉公子重耳，臣之属内作，晋君必出。”穆公使泠至报问，且召三大夫。郑也与客将行事，冀芮曰：“郑之使薄而报厚，其言我与秦也，必使诱我。弗杀，必作难[1]。”是故杀丕郑及七舆大夫：共华、贾华、叔坚、骓歂、累虎、特宫、山祁，皆里、丕之党也。丕豹出奔秦。

丕郑之自秦反也，闻里克死，见共华曰：“可以入乎？”共华曰：“二三子皆在而不及[2]，子使于秦，可哉！”丕郑入，君杀之。共赐谓共华曰：“子行乎？其及也！”共华曰：“夫子之入，吾谋也，将待也。”赐曰：“孰知之？”共华曰：“不可。知而背之不信，谋而困人不智，困而不死无勇。任[3]大恶三，行将安入？子其行矣，我姑待死。”

丕郑之子曰豹，出奔秦，谓穆公曰：“晋君大失其众，背君赂，杀里克，而忌[4]处者，众固不说。今又杀臣之父及七舆大夫，此其党半国矣。君若伐之，其君必出。”穆公曰：“失众安能杀人？且夫祸唯无毙，足者不处，处者不足，胜败若化。以祸为违，孰能出君？尔俟我！”

【注释】

①作难：发难。

②及：殃及，遭受祸患。

③任：背负。

④忌：忌恨。

【译文】

晋惠公继承王位后，就违背了给秦国赂地的许诺。他派丕郑到秦国行聘问礼，并向秦君道歉。而且他杀了里克，说：“你杀了两个国君以及一个大夫，当你的国君，不是太难吗？”丕郑到秦国对未能如期呈上城邑表示歉意，随后对穆公说：“您派人用厚礼将吕甥、郤称、冀芮骗到秦国扣留起来，然后派军队保护公子重耳回晋国，我们的人在国内举事计划，这样晋君一定会逃出晋国。”穆公就派泠至回访晋国，而且召请吕甥、郤称以及冀芮三位大夫。丕郑和泠至将要依照计划行动，冀芮对惠公说：“丕郑出使秦国时带走的礼品微薄，但是秦国回赠的礼品非常丰厚，也许他在秦国说了我们什么，肯定是让秦国来诱惑我们。不杀丕郑，他一定会发难。”因此就杀了丕郑和七舆大夫，他们是共华、贾华、叔坚、骓歂、累虎、特宫、山祁。他们都是里克、丕郑的同党。丕郑的儿子丕豹逃躲到秦国。

丕郑从秦国回来的路上，听说里克死了，看到共华问他说：“我能回国吗？”共华说：“我们几个在国内都没有被株连，你是出使秦国的，能够回来。”丕郑回国后，惠公杀了他。共赐对共华说：“你不逃走吗？快要轮到你了！”共华说：“丕郑回来，是我的主意，我将等待遭难。”共赐说：“有谁知道这是你的主意？”共华说：“那也不行。自己知道却昧着良心是不信，为人谋划却使人遭了厄难是不智，害了别人自己却怕死是不勇。我背着这三项恶名，又有什么地方可去？你走吧，我姑且在这里等待死亡。”

丕郑的儿子叫豹，逃到了秦国，对秦穆公说：“晋国的国君已经大失民心了。他背信不给你城邑，杀掉里克，忌恨留守国内的人，大家原本就不满意。现在他又杀死我的父亲和七舆大夫，他的支持者在国内只有一半了。假如您讨伐他，他一定会被驱逐出晋国。”穆公说：“失掉民心怎么还能杀这么多人？何况他的罪还没有到死的地步，百姓就不会造反。罪足致死的人，不会停留在晋国。停留在晋国的人，还不至于死。胜败常有变化，有杀身之祸的人全部离开了晋国，谁还能把晋君驱逐出国呢？你还是等我重新计划吧！”

秦侵晋止惠公于秦

【原文】

六年，秦岁定，帅师侵晋，至于韩。公谓庆郑曰："秦寇深矣，奈何？"庆郑曰："君深其怨，能浅其寇乎？非郑之所知也，君其讯射也。"公曰："舅所病[①]也？"卜右，庆郑吉。公曰："郑也不逊。"以家仆徒为右，步扬御戎；梁由靡御韩简，虢射为右，以承公。公御秦师，令韩简视师，曰："师少于我，斗士众。"公曰："何故？"简曰："以君之出也处己，入也烦己，饥食其籴，三施而无报，故来。今又击之，秦莫不愠，晋莫不怠，斗士是故众。"公曰："然。今我不击，归必狃。一夫不可狃，而况国乎！"

公令韩简挑战，曰："昔君之惠也，寡人未之敢忘。寡人有众[②]，能合之弗能离也。君若还，寡人之愿也。君若不还，寡人将无所避。"穆公衡雕戈出见使者，曰："昔君之未入，寡人之忧也。君入而列未成，寡人未敢忘。今君既定而列成，君其整列，寡人将亲见。"

客还，公孙枝进谏曰："昔君之不纳公子重耳而纳晋君，是君之不置德而置服也。置而不遂[③]，击而不胜，其若为诸侯笑何？君盍待之乎？"穆公曰："然。昔吾之不纳公子重耳而纳晋君，是吾不置德而置服也。然公子重耳实不肯，吾又奚言哉？杀其内主，背其外赂，彼塞我施，若无天乎？若有天，吾必胜之。"君揖大夫就车，君鼓而进之。晋师溃，戎马泞而止。公号庆郑曰：“载我！”庆郑曰：“忘善而背德，又废吉卜，何我之载？郑之车不足以辱君避也！”梁由靡御韩简，辂秦公，将止之，庆郑曰：“释来救君！”亦不克救，遂止于秦。

穆公归，至于王城，合大夫而谋曰：“杀晋君与逐出之，与以归之、与复之，孰利？”公子絷曰：“杀之利。逐之恐构[4]诸侯，以归则国家多慝，复之则君臣合作，恐为君忧，不若杀之。”公孙枝曰：“不可。耻大国之士于中原，又杀其君以重之，子思报父之仇，臣思报君之仇。虽微秦国，天下孰弗患？”

公子絷曰：“吾岂将徒[5]杀之？吾将以公子重耳代之。晋君之无道莫不闻，公子重耳之仁莫不知。战胜大国，武也。杀无道而立有道，仁也。胜无后害，智也。”公孙枝曰：“耻一国之士，又曰余纳有道以临女，无乃不可乎？若不可，必为诸侯笑。战而取笑诸侯，不可谓武。杀其弟而立其兄，兄德我而忘其亲，不可谓仁。若弗忘，是再施不遂也，不可谓智。”君曰：“然则若何？”公孙枝曰：“不若以归，以要晋国之成，复其君而质其适子，使子父代处秦，国可以无害。”是故归惠公而质子圉，秦始知河东之政。

【注释】

①病：埋怨，责备。

②众：此指将士。

③遂：顺从。

④构：招致怨恨。

⑤徒：只，仅仅。

【译文】

晋惠公继位的第六年，秦国大丰收，百姓安定，秦穆公率领军队侵入晋国，直接打到韩原。晋惠公问庆郑说："秦军已经攻入我国，怎么办才好？"庆郑回答："你与秦国结怨非常深，能让秦军不攻入吗？怎么应付这种局面我不知道，国君问虢射去吧。"惠公说："你这是在怪罪我吗？"占卜车右的人选时，庆郑获得吉卦。惠公说："庆郑对我不恭敬。"所以让家仆徒做他的车右，步扬帮他驾驭兵车，还让梁由靡为韩简驾驭兵车，让虢射担当韩简的车右，跟随在惠公的兵车后面。惠公与秦国军队迎战，派遣韩简侦察，韩简说："敌军比我们少，但敢于作战的人很多。"惠公问："为什么呢？"韩简回答说："由于你出亡时依靠过秦国，回国继承君位时烦劳过秦国，饥荒时又买秦国的粮食吃，秦国多次给我们恩惠但我们都没有报答，因此他们才来侵犯。现在你又出兵迎战他们，秦军所有人都愤怒，晋军所有人都懈怠，因此秦军中敢于作战的人多。"惠公说："是的。可是我现在不迎击，以后秦国肯定会经常来犯。匹夫也不可受人轻侮，何况国家呢！"

惠公命令韩简派使者挑战秦军，说："以前秦君的恩惠，我没有忘记。我有很多的将士，能够集合他们作战而不离散。秦君假如退兵回国，刚好是我所希望的。秦君假如不退兵，我也不会躲避。"穆公横握着雕花的战戟出来见晋军的使者，说："以前你们国君不能回国，我为他担忧。你们国君回国后地位一时还没有安定，我比较担心。现在他君位已定，军队编练已成，让他整理好阵列，我要亲自见他。"

晋使回去以后，公孙枝劝穆公说：“以前你不支持公子重耳而支持晋君，这是你不愿意立有德的人，只是立服从你的人。立了但不能如意，打了假如又不能获胜，难道不会遭到诸侯的嘲笑？国君怎么不等待晋国自己败亡呢？”穆公说：“是这样。以前我不支持公子重耳而支持夷吾，的确是我不愿立有德的人而想立服从我的人。但是公子重耳事实上也不愿意做国君，我又能说啥呢？晋君在国内杀了丕郑和里克，在外国又背弃给我国城邑的承诺，他自私无信但我总是加惠于他，难道上天不会主持公道吗？如果上天有知的话，我肯定能战胜他。”穆公于是聚集大夫们登上战车，亲自击鼓指导进攻。晋军失败，战马陷入泥泞之中不能动。惠公喊叫庆郑说：“快用车来带我逃命！”庆郑说：“你背信弃义，而且废了吉卜，不用我做车右，为什么还想搭我的车？我庆郑的战车不值得你来躲避！”梁由靡为韩简驱使战车，迎接秦穆公，想要擒获他，庆郑说：“放了他快来救国君！”可是也未能救出晋君，晋惠公最终被秦军俘获。

秦穆公回到都城，集聚大夫们商量说：“杀了晋君，或者放掉他，要么让他回国，要么恢复他的君位，哪个办法我们更有利？”公子絷说：“杀了更有利。放逐他应该会激怒诸侯；让他回去国家必有祸患；恢复他的王位，晋国君臣假如合作，恐怕会成为你的忧患，还不如杀了他。”公孙枝说：“不可以。我们在中原的田地上羞辱了晋国的将士，又要杀他们的国君以加重这种耻辱，如果儿子想报杀父之仇，臣下想报杀君之仇，冤冤相报何时了。这种事就算不是秦国干的，天下人怎么不憎恨呢？”

公子絷说：“我难道是只杀晋君就算完了？我一定用

公子重耳来取代他为君。晋君的无道哪个人不知道，公子重耳的仁德哪个人不知道。我们击败大国，是强大。杀掉无道之君而立有道，这是仁义，胜利后不留后患，这是明智。”公孙枝说：“辱没了一国的将士，现在说我立有道的国君来管理你们，可能行不通吧？假如行不通，肯定被诸侯嘲笑。击败大国但被诸侯嘲笑，不能说是威武。杀弟弟而立他的哥哥，哥哥如果感德于我但忘了他的亲人，不能说是仁义。如果不忘亲人，就算再次施恩而不成功，不能说是明智。”穆公问：“那么如何呢？”公孙枝说：“还是让他回去，和晋国签订和约，恢复他的王位，拿他的太子做人质，把他们父子轮流困在秦国，国家就可以没有祸患了。”穆公于是就这样做了，让惠公回晋国，留下子圉作为人质，秦国开始管理河东五城的政事。

吕甥逆惠公于秦

【原文】

公在秦三月，闻秦将成，乃使郤乞告吕甥。吕甥教之言，令国人于朝曰：“君使乞告二三子曰：‘秦将归寡人，寡人不足以辱社稷，二三子其改置以代圉也。’”且赏以悦众，众皆哭，焉[1]作辕田。吕甥致众而告之曰：“吾君惭焉其亡之不恤，而群臣是忧，不亦惠乎？君犹在外，若何？”众曰：“何为而可？”吕甥曰：“以韩之病，兵甲尽矣。若征缮以辅孺子，以为君援，虽四邻之闻之也，丧君有君，群臣辑睦，兵甲益多，好我者劝，恶我者惧，庶有益乎？”众皆说，焉作州兵。

吕甥逆[2]君于秦，穆公讯[3]之曰：“晋国和乎？”对曰：“不和。”公曰：“何故？”对曰：“其小人不念其君之罪，而悼其父兄子弟之死丧者，不惮征缮以立孺子，曰：‘必报仇，吾宁事齐、楚，齐、楚又交辅之。’其君子思其君，且知其罪，曰：‘必事秦，有死无他。’故不和。比其和之而来，故久。”公曰：“而无来，吾固将归君，国谓君何？”对曰：“小人曰不免，君子则否。”公曰：“何故？”对曰：“小人忌而不思，愿从其君而与报秦，是故云。其君子则否，曰：‘吾君之入也，君之惠也。能纳之，则能执之。能执之，则能释之。德莫厚焉，惠莫大焉。纳而不遂，废而不起，以德为怨，君其不然？’”秦君曰：“然。”乃改馆晋君，馈[4]七牢焉。

【注释】

①焉：于是。

②逆：迎接。

③讯：问。

④馈：进献食物。

【译文】

晋惠公在秦国被关了三个月，听说秦国要和晋国讲和，就派遣郤乞回国告诉吕甥这个消息。吕甥给郤乞设计好一番话，让他对聚集在宫门前的那些人说：“国君命令我来告诉大家：‘秦国要放我回来，我辜负了国家不配当国君，你们改立一个国君用子圉来取代我吧。’”又代表惠公奖励土地让大家高兴，大家都感动得流泪了，然后晋国就开阡陌把土地分配给国人。吕甥召集群臣并告诉他们说：“我们国君因战败在外而愧疚，他并不为自己担忧，只是为群臣担忧，不也很仁慈吗？国君现在被关在国外，怎么办好？”大家说：“我们怎么做才可以让国君回来呢？”吕甥说：“韩原会战失败，晋国的武器装备都没有了。假如我们增收赋税，制造武器，去辅佐太子，并当作国君的后援，让周围邻国听到后，明白我们失去国君又有了新的国君，群臣良好，武器更多，友好的国家就会鼓励我们，不友好的国家就会害怕我们，这样会对国君回来有好处吗？”大家都非常高兴，于是晋国就改革兵制置州兵来补充军力。

吕甥到秦国迎接惠公，秦穆公问他说：“晋国的人怎么样了？”回答说：“不和睦。”穆公问：“为什么呢？”回答说：“那些小人不考虑国君的过错，只怀念在韩原之战中死去的亲人，他们不害怕征税修武来拥立子圉为新君，说：‘必须要报秦之仇，我们宁可侍奉齐国和楚国，让齐国和楚国一起援助我们。’那些有见识的君子就算思念自己的国君，可是也知道他的过错，说：‘一定要侍奉秦国，哪怕死也不能存二心。’因此不和睦。我等到大家互相认识后才来迎接国君，所以拖了很长时间。”穆公说：“你不来，我本来也打算要送回晋君。晋国的人如何看待晋君的前途？”回答说：“小人觉得国君不能免难，君子则不这么觉得。”穆公问：“为什么？”回答说：“小人都怨恨秦国，不考虑自己国君的过错，只想跟从子圉一起报复秦国，因此这么认为。君子不会这样，他们说：‘我们国君最初能回国继承君位，是你的恩德。你能接受他，就能俘虏他。你能俘虏他，也自然能放了他。没有什么比这再宽厚的仁德了，没有什么比这再大的恩惠了。让他回国但不成全他，或者废黜而不任用他，使原来的仁德变成仇恨，你应该不会这样做吧？'”秦穆公说：“是的。”于是改变对晋君的态度，安排他住在舍馆，并且按诸侯之礼，用七牢款待他。

重耳自狄适齐

【原文】

文公在狄十二年，狐偃曰：“日[1]，吾来此也，非以狄为荣，可以成事也。吾曰：‘奔而易达，困而有资，休以择利，可以戾也。’今戾久矣，戾久将底。底著滞淫，谁能兴之？盍速行乎！吾不适齐、楚，避其远也。蓄力一纪，可以远矣。齐侯长[2]矣，而欲亲晋。管仲殁矣，多谗在侧。谋而无正，衷而思始。夫必追择前言，求善以终，餍迩逐远，远人入服，不为邮矣。会其季年可也，兹可以亲。”皆以为然，乃行。

过五鹿，乞食于野人。野人举块以与之，公子怒，将鞭之。子犯曰：“天赐也。民以土服[3]，又何求焉！天事必象[4]，十有二年，必获此土。二三子志之。岁在寿星及鹑尾，其有此土乎！天以命矣，复于寿星，必获诸侯。天之道也，由是始之。有此，其以戊申乎！所以申土也。”再拜稽首，受而载之。遂适齐。

【注释】

①日：昔日，过去。

②长：年纪大。

③服：顺服。

④象：征兆。

【译文】

晋公子重耳逃亡到狄，住了十二年。狐偃说：“最初我们到这儿来，不是由于狄地安乐，而是可以做成大事。我曾说过：‘狄地逃亡时容易到达，困顿中能得到资助，经过休整可以选择有利的时机，所以才居留下来。’现在已经居住很长时间了，住久了就会停止不前，停止不前加上苟且荒废，谁还能有所作为？为何不赶快走呢！最初我们不到齐、楚两国去，是怕路途遥远。现在养精蓄锐了十二年，能够远行了。齐桓公老了，正想亲近晋国。管仲去世后，桓公身边全是些谗谄小人，谋略没有人来匡正，心里就会怀念以前的盛况。所以他必定会重新考虑接受管仲的忠告，希望能有一个好结果。齐国与邻国既已太平无事，就会希望和远方的诸侯搞好关系，我们远方的人去投靠，就不会有什么错误。如今正值桓公的暮年，正是能够亲近他的好时机。”大家都认为狐偃说得很对。于是重耳一行就出发了。

他们途经五鹿时，向田地里的农夫讨饭吃，农夫拿了地里的泥土给他们，重耳非常生气，想要鞭打他。狐偃说：“这是上天的恩赐啊。百姓献土表示顺从，这样我们还有什么可求的呢？上天要成事一定先有某种征兆，再过十二年，我们必定会得到这片土地。你们记住，岁星运行到寿星和鹑尾时，这片土地就会归属我国。天象已经如此预示，岁星又一次行经寿星时，我们必定能获得诸侯的拥戴，天道十二年一转，征兆就是这样开始的。得到这块土地，应该是在戊申这一天吧！因为戊属土，申是推广的意思。”所以重耳再拜叩头，把泥土收下放在车上。然后，他们一行人就往齐国去了。

齐姜劝重耳勿怀安

【原文】

齐侯妻[1]之，甚善焉。有马二十乘，将死于齐而已矣。曰：“民生安乐，谁知其他？”桓公卒，孝公即位。诸侯叛齐。子犯知齐之不可以动，而知文公之安齐而有终焉之志也，欲行，而患[2]之，与从者谋于桑下。蚕妾在焉，莫知其在也。妾告姜氏，姜氏杀之，而言于公子曰：“从者将以子行，其闻之者吾以除之矣。子必从之，不可以贰，贰无成命。《诗》云：‘上帝临女，无贰尔心。’先王其知之矣，贰将可乎？子去晋难而极于此。自子之行，晋无宁岁，民无成君。天未丧晋，无异公子，有晋国者，非子而谁？子其勉之！上帝临子，贰必有咎。”

公子曰：“吾不动矣，必死于此。”姜曰：“不然。《周诗》曰：‘莘莘[3]征夫，每怀靡及。’夙夜征行，不遑[4]启处，犹惧无及。况其顺身纵欲怀安，将何及矣！人不求及，其能及乎？日月不处，人谁获安？西方之书有之曰：‘怀与安，实疚大事。’《郑诗》云：‘仲可怀也，人之多言，亦可畏也。’昔管敬仲有言，小妾闻之，曰：‘畏威知疾，民之上也。从怀如流，民之下也。见怀思威，民之中也。畏威如疾，乃能威民。威在民上，弗畏有刑。

从怀如流，去威远矣，故谓之下。其在辟也，吾从中也。《郑诗》之言，吾其从之。’此大夫管仲之所以纪纲齐国，裨辅先君而成霸者也。子而弃之，不亦难乎？齐国之政败矣，晋之无道久矣，从者之谋忠矣，时日及矣，公子几矣。君国可以济百姓，而释之者，非人也。败不可处，时不可失，忠不可弃，怀不可从，子必速行。吾闻晋之始封也，岁在大火，阏伯之星也，实纪商人。商之飨国三十一王。瞽史之纪曰：‘唐叔之世，将如商数。’今未半也。乱不长世，公子唯子，子必有晋。若何怀安[5]？”公子弗听。

【注释】

①妻：以女嫁人。

②患：忧虑。

③莘莘：众多的样子。

④遑（huáng）：闲暇。

⑤怀安：贪图安逸。

【译文】

齐桓公将女儿嫁给重耳当妻子，对重耳很好。重耳有八十匹马，就打算老死在齐国了。他说：“人生不过是为了享乐，管别的有什么用呢？”齐桓公死了以后，孝公继位。这时，诸侯纷纷背叛齐国。狐偃知道齐国肯定不会帮助重耳回国执政，也知道重耳已安于留在齐国，并决定老死在此。狐偃准备离开齐国，又害怕重耳不肯走，于是就和随重耳一起逃亡的人在桑树下商讨这件事。齐国宫中一个养蚕的女子恰巧在树上采桑叶，但谁也没有发现她。女子告诉了姜氏，姜氏怕走漏消息，就把她杀了，随后对公子重耳说：“你的随从想要和你一起离开齐国，那个人偷听到这事我已经把他杀了。你必须要听他们的，不可以犹豫不决，做事犹豫不决，就不能成就大事。《诗》上说：‘上天暗中保佑着你，你心里绝对不能迟疑不决。’先王明白天命，所以能成大事，犹豫不决如何能行呢？你因为晋国有危难所以来到这里。自从你离开以后，晋国没有安宁的日子，百姓也没有一个稳定的国君。上天还没有灭亡晋国，晋献公已经没有其他的公子了。能获得晋国的，不是你还有谁？希望你能够努力！上天在保佑你，迟疑不决一定会遭到祸害。”

公子说：“我是不可能被人说动的，必须要老死在这里。”姜氏说：“这是错的。《周诗》上说：‘那些风尘仆仆的路人，经常惦念着自己要办的事，只害怕来不及把事情办好。’日夜奔忙在道路上，连安坐休息的工夫都没有，这样都还怕来不及，更不要说那些随意放纵嗜欲、贪恋安逸的人，将如何来得及呢？如果一个人不追求及时完成大业，又如何能达到目的呢？日月如梭，时光飞逝，一个人怎么只想获得安逸呢？《周书》上有句话说：‘只贪图享乐和安逸，是会坏大事的。’《郑诗》上说：‘仲子令我思念，外人的闲话也可畏啊。’从前管仲说的话，小妾也曾经听到过。他说：‘假如一个人像害怕疾病一样敬畏上天，是人中的最高者。只会眷恋私欲随大流，是人中的最低者。看到可留恋的事物，就想起天威的可畏，是中等人。只有敬畏上天像害怕疾病一样，才能拥有权威，统治人民。有声威才能站在民众之上，对天威没有畏惧，会受到惩罚。只知道贪恋私欲随大流，那距离建立声威就非常远了，所以说是人中的最下者。从以上引喻的话来看，我是愿意做中等人的。《郑诗》上所说的话，我是愿意遵循的。’这就是大夫管仲能够治理齐国，辅佐先君成就霸业的缘故。如今你要丢弃它，岂不是太难成就大事了吗？齐国的政治现在衰败了，晋君的无道已经很长时间了，你随从的谋划足够忠心了，时候到了，公子得晋国的日子不远了。你去当晋国的国君，能够解救百姓，假如放弃这份事业，那根本不算人了。齐国政治败坏不能久居，有利的时机不能错过，你的追随者的一片忠诚不可抛弃，眼前的安逸不能贪恋，你必须赶快离开齐国。我听说，晋国当初受封的时候，那年岁星刚好在大火星的位置，也就是阏伯的星辰，实际上记载着商朝的命运。商代拥有天下，一共有三十一位国君。乐师和史官的记载说：‘唐叔的后裔享有晋国，将和商代国君的数目一样。’如今还不到一半。晋国混乱的局面不会长久下去，公子中只有你还在，你一定能得到晋国。为何还要贪恋眼前的安逸呢？”但是，公子重耳还是不听这些劝告。

齐姜与子犯谋遣重耳

【原文】

姜与子犯谋，醉而载之以行。醒，以戈逐子犯，曰：“若无所济，吾食舅氏之肉，其知餍[1]乎！”舅犯走，且对曰：“若无所济，余未知死所，谁能与豺狼争食？若克有成，公子无亦晋之柔嘉，是以甘食。偃之肉腥臊，将焉用之？”遂行。

【注释】

①餍（yàn）：满足。

【译文】

姜氏与子犯商量，将重耳灌醉，并用车送走。重耳酒醒后，就拿起一把戈追打子犯，说："如果计划不成功，我就是吃了舅舅你的肉，也不会满意的！"子犯一边逃一边回答说："如果计划不成功，我都不知道会死在哪里，谁又能和豺狼争着吃我呢？如果事业成功的话，那么公子就有了晋国最美味的食品，那些都是你爱吃的。我的肉像狐偃一样腥臊难闻，又怎么吃呢？"于是，他们就继续前行。

楚成王以周礼享重耳

【原文】

遂如[①]楚，楚成王以周礼享之，九献，庭实旅百[②]。公子欲辞，子犯曰："天命也，君其飨之。亡人而国荐之，非敌而君设之，非天，谁启之心！"既飨，楚子问于公子曰："子若克复晋国，何以报我？"公子再拜稽首对曰："子女玉帛，则君有之。羽旄齿革，则君地生焉。其波及晋国者，君之余也，又何以报？"王曰："虽然，不穀愿闻之。"对曰："若以君之灵，得复晋国，晋、楚治兵，会于中原，其避君三舍。若不获命，其左执鞭弭，右属櫜鞬，以与君周旋。"

令尹子玉曰："请杀晋公子。弗杀，而反晋国，必惧楚师。"王曰："不可。楚师之惧，我不修也。我之不德，杀之何为！天之祚楚，谁能惧之？楚不可祚，冀州之土，其无令君乎？且晋公子敏而有文，约而不谄，三材侍之，天祚之矣。天之所兴，谁能废之？"子玉曰："然则请止狐偃。"王曰："不可。《曹诗》曰：'彼己之子，不遂其媾。'邮之也。夫邮而效之，邮又甚焉。效邮，非礼也。"于是怀公自秦逃归。秦伯召公子于楚，楚子厚币以送公子于秦。

【注释】

①如：到……去。

②旅百：数百。

【译文】

重耳一行去到楚国，楚成王用周王室接待诸侯的礼节款待他，宴会上一共献酒九次，院子里摆列的酒肴礼器很多。公子重耳想要拒绝，子犯说："这是上天的旨意，您还是收下吧。一个在外逃亡的人，竟然用国君的礼节来进献，身份地位不同，可是像对待国君那样摆列礼物，假如不是上天有灵，谁会使楚成王有这样的主意呢？"宴会以后，楚成王问公子重耳说："您假如能够回到晋国当国君，要怎么报答我呢？"公子重耳下跪叩头说："美女、玉石和丝帛，您什么都有。鸟羽、旄牛尾、象牙，以及犀皮革，贵国的土地都能生产。那些传播到晋国的，都是君王剩下来的，让我怎么来报答您呢？"楚成王说："即使这样，我还是想听听您如何报答我。"重耳回答说："如果托您的福，我可以回到晋国，将来晋、楚两国交战，在中原相见，我愿意避开君王后退九十里。如果这样还得不到您的谅解，我只好左手拿着鞭子和弓，右边挂上弓囊箭袋，和您较量一番。”

令尹子玉说：“请杀掉晋公子重耳。如果不杀，只要他回到晋国，一定会对楚军造成祸患。”楚成王说：“不行。楚军有祸患，那是我们自己不修德的原因。我们自己不修德，杀了他还有什么用？假如上天保佑楚国的话，谁又能对楚国造成祸患呢？假如上天不保佑楚国，在晋国的土地上，难道就不能出现其他贤明的国君吗？况且晋公子为人通达又富于文采，身处穷困之中，也依然不肯逢迎谄谀，而且有三位卿相之材侍奉他，这是上天保佑他啊。上天要叫他复兴，谁能够毁掉他呢？”子玉说：“这样的话就请把狐偃扣留起来。”楚成王说：“不行。《曹诗》上说：‘就那个人啊，不能久享优厚的待遇。’这是指责一个人的过错。假如明知是错的再去效仿，那就错上加错了。效仿错的，这不符合礼啊。”就在这时，晋怀公从秦国逃回了晋国。秦穆公派人前来楚国来召请公子重耳，楚成王便用厚礼把重耳送到了秦国。

重耳婚媾怀嬴

【原文】

秦伯归女五人，怀嬴与焉。公子使奉匜沃盥，既而挥之。嬴怒曰：“秦、晋匹[1]也，何以卑我？”公子惧，降服囚命。秦伯见公子曰："寡人之适，此为才。子圉之辱，备嫔嫱焉，欲以成婚，而惧离其恶名。非此，则无故。不敢以礼致之，欢之故也。公子有辱，寡人之罪也。唯命是听。"

公子欲辞，司空季子曰："同姓为兄弟。黄帝之子二十五人，其同姓者二人而已，唯青阳与夷鼓皆为己姓。青阳，方雷氏之甥也。夷鼓，彤鱼氏之甥也。其同生而异姓者，四母之子别为十二姓。凡黄帝之子，二十五宗，其得姓者十四人为十二姓。姬、酉、祁、己、滕、箴、任、荀、僖、姞、儇、依是也。唯青阳与苍林氏同于黄帝，故皆为姬姓。同德之难也如是。昔少典娶于有蛴氏，生黄帝、炎帝。黄帝以姬水成，炎帝以姜水成。成而异德，故黄帝为姬，炎帝为姜，二帝用师以相济也，异德之故也。异姓则异德，异德则异类。异类虽近，男女相及，以生民也，同姓则同德，同德则同心，同心则同志。同志虽远，男女不相及，畏黩敬也。黩则生怨，怨乱毓灾，灾毓灭姓。是故娶妻避其同姓，畏乱灾也。故异德合姓，同德合义。义以导利，利以阜姓。姓利相更，成而不迁，乃能摄[②]固，保其土房。今子于子圉，道路之人也，取其所弃，以济[③]大事，不亦可乎？"

公子谓子犯曰："何如？"对曰："将夺其国，何有于妻，唯秦所命从也。"谓子余曰："何如？"对曰："《礼志》有之曰：'将有请于人，必先有入焉。欲人之爱己也，必先爱人。欲人之从己也，必先从人。无德于人，而求用于人，罪也。'今将婚媾以从秦，受好以爱之，听从以德之，惧其未可也，又何疑焉？"乃归女而纳币，且逆之。

【注释】

①匹：敌，地位相当。

②摄：保持。

③济：完成，成就。

【译文】

秦穆公将五个女人嫁给重耳，怀嬴也是其中一个。有一次，公子重耳叫怀嬴拿着匜给他浇水洗手，洗完了，就摆手叫她走开。怀嬴生气说：“秦、晋两国是相等的国家，你为什么这样轻视我？”重耳为这件事感到担心，便脱去衣冠，将自己关起来，听候处置。秦穆公会见重耳时，说：“寡人将那些女人嫁给你，怀嬴是最有才能的一个。以前公子圉在秦国当人质时，她做宫中的女官。如今想叫她和公子成婚，估计因为她以前是公子圉的妻子，因此遭受不好的名声。在这之外，那就没有什么不好了。我不敢用正式的婚礼把她嫁于你，是由于喜欢她。公子这次解衣受辱，是寡人的过错。怎么处置她，听从公子的意见。”

重耳想拒绝，司空季子说：“兄弟应该同姓同德。黄帝有二十五儿子，其中同姓同德的也就两个人罢了，唯有青阳与夷鼓都姓己。方雷氏的外甥是青阳，彤鱼氏的外甥是夷鼓，其他一个父亲所生而不同姓的，四个母亲的儿子分别有十二个姓氏。只要是黄帝的儿子，有二十五宗，里面得姓的有十四人，分别有十二姓，那就是姬、酉、祁、己、滕、箴、任、荀、僖、姞、儇和依。唯有青阳与苍林氏的道德比得上黄帝，所以都姓姬。德行同等竟这样难。从前少典娶了有蟜氏的女儿，生了黄帝和炎帝。黄帝依靠姬水而成长，炎帝依靠姜水而成长，长大以后两人的德行不相同，所以黄帝姓姬，炎帝姓姜，两帝互相残杀，正是因为德行不同。姓不一样德行就不一样，德行不同就使族类不同。不同族类即使关系接近，男女也可以嫁娶成婚，生育儿女。姓相同德行就会相同，德行相同心就会相同，心相同志向就会相同。志向相同即使血缘关系远，男女也不可以嫁娶成婚，是害怕亵渎了自己的种类。亵渎便会产生怨恨，怨恨就会产生祸害，祸害产生就会杀害同姓。所以娶妻要避开同姓，是担心祸乱灾难。所以德行不一样可以合姓成婚，德行一样可以以义结合。以义结合便可以生利，利又可以使同姓互相厚待。姓和利相互联系，相辅相成而不离散，就可以保持稳固，保住土地和住房。现在你和子圉的关系，就像道路上的陌生人那样，取他所抛弃的人，以成就归国的大事，难道不可以吗？”

公子重耳对子犯说：“你看怎么样？”子犯回答说：“你将要争夺他的国家，娶他的妻子又有什么呢，只管服从秦的命令吧。”重耳又问赵衰：“你看怎么样？”赵衰回答说：“礼书上说：‘如果要向别人请求，必须要先接受别人的请求。如果要别人爱自己，必须要先爱别人。想要别人服从自己，一定要先服从别人。对别人没有恩德，就想有求于人，这是不对的。’如今你要跟秦国联姻以服从他们，接受他们的好意以与他们亲近，服从他们以使他们对你施恩德。恐怕不能不这样，这有什么可怀疑的呢？”于是重耳就向秦国纳聘礼，缔结婚约，而且亲自迎怀嬴成亲。

秦伯享重耳以国君之礼

【原文】

他日，秦伯将享公子，公子使子犯从。子犯曰："吾不如衰之文也，请使衰从。"乃使子余从。秦伯享公子如享国君之礼，子余相如宾。卒事，秦伯谓其大夫曰："为礼而不终，耻也。中不胜貌，耻也。华而不实，耻也。不度而施，耻也。施而不济，耻也。耻门不闭，不可以封。非此，用师则无所矣。二三子敬乎！"明日宴，秦伯赋《采菽》①，子余使公子降拜。秦伯降辞。子余曰："君以天子之命服命重耳，重耳敢有安志，敢不降拜？"成拜卒登，子余使公子赋《黍苗》。子余曰："重耳之仰君也，若黍苗之仰阴雨也。若君实庇荫膏泽②之，使能成嘉谷，荐在宗庙，君之力也。君若昭先君之荣，东行济河，整师以复强周室，重耳之望也。重耳若获集德而归载③，使主晋民，成封国，其何实不从。君若恣志以用重耳，四方诸侯，其谁不惕惕④以从命！"秦伯叹曰："是子将有焉，岂专在寡人乎！"秦伯赋《鸠飞》，公子赋《河水》。秦伯赋《六月》，子余使公子降拜。秦伯降辞。子余曰："君称所以佐天子匡王国者以命重耳，重耳敢有惰心，敢不从德？"

【注释】

①《采菽》：出自《诗经·小雅》，描写诸侯朝见天子时的景象。

②膏泽：润泽，恩惠。

③载：祭祀。

④惕（tì）惕：惊恐不安心绪不宁的情状。

【译文】

有一天，秦穆公将要宴请公子重耳，重耳让子犯跟着他。子犯说："我对礼法的了解不如赵衰，请让赵衰跟从您吧。"于是重耳让赵衰跟随前往。秦穆公用款待国君的礼节来宴请重耳，按照傧相的礼仪招待赵衰。宴会完毕后，秦穆公对他的大夫们说："举行礼仪却不能够从一而终，是耻辱。内在的品质不能和外貌相称，是耻辱。表面华美而内在空虚，是耻辱。不估量能力就施以恩惠，是耻辱。施恩惠给人而不能帮助他成功，是耻辱。这些羞耻像门一样，如果不关闭，就不能够受分封立国。如果不这样，对外用兵就不会有成就。你们要谨慎对待这个事啊！"在第二天的宴会上，秦穆公诵读了《采菽》这首诗，赵衰让重耳下堂叩拜。秦穆公也下堂推辞。赵衰说："您用天子接待诸侯的礼仪来对待重耳，重耳怎么敢有苟安的想法，怎敢不下堂叩拜呢？"重耳拜谢完毕后又登堂，赵衰让重耳诵读《黍苗》这首诗。赵衰说："重耳尊重、敬慕国君，就像黍苗敬慕上天下的雨一样。如果承蒙您的保护，施恩惠于他，使他能够成长为茁壮的稻谷，进献给宗庙，那都是依靠您的力量啊。您如果能发扬先王的名望，往东行军渡过黄河，整顿军队以使周王室再次强盛起来，这是重耳所盼望的。重耳如果能得到您的这些德教而归国祭祀宗庙，掌管晋国的百姓，得到封国，他怎么能不跟从您呢？您如果能放心地任用重耳，其他的各个诸侯，还有谁还敢不小心翼翼地听从您的命令呢？”秦穆公感叹道：“这个人将会得到这些，哪里是单靠我就能达到的呢！”秦穆公诵读了《鸠飞》这首诗，重耳诵读了《沔水》这首诗。秦穆公又诵读了《六月》这首诗，赵衰让公子重耳下堂叩拜。秦穆公也下堂推辞。赵衰说：“您把辅助天子、匡正天下的使命交付给重耳，重耳怎么敢有怠惰的思想，怎么敢不遵从有德行的您的命令呢？”

寺人勃鞮求见文公

【原文】

初，献公使寺人勃鞮[1]伐公于蒲城，文公逾垣[2]，勃鞮斩其祛[3]。及入，勃鞮求见，公辞焉，曰：“骊姬之谗，尔射余于屏内，困余于蒲城，斩余衣祛。又为惠公从余于渭滨，命曰三日，若宿而至。若干二命，以求杀余。余于伯楚屡困，何旧怨也？退而思之，异日见我。”

对曰：“吾以君为已知之矣，故入；犹未知之也，又将出矣。事君不贰是谓臣，好恶不易是谓君。君君臣臣，是谓明训。明训能终，民之主也。二君之世，蒲人、狄人，余何有[4]焉？除君之恶，唯力所及，何贰之有？今君即位，其无蒲、狄乎？伊尹放大甲而卒以为明王，管仲贼桓公而卒以为侯伯。乾时之役，申孙[5]之矢集于桓钩，钩近于祛，而无怨言，佐相以终，克成令名。今君之德宇，何不宽裕也？恶其所好，其能久矣？君实不能明训，而弃民主。余，罪戾之人也，又何患焉？且不见我，君其无悔乎！”

于是吕甥、冀芮畏偪，悔纳公，谋作乱，将以己丑焚公宫，公出救火而遂杀之。伯楚知之，故求见公。公遽[6]出见之，曰：“岂不如女言，然是吾恶心也，吾请去之。”伯楚以吕、郤之谋告公。公惧，乘驲[7]自下，脱会秦伯于王城，告之乱故。及己丑，公宫火，二子求公不获，遂如河上，秦伯诱而杀之。

【注释】

①勃鞮（dī）：春秋时晋国的宦官。

②垣（yuán）：墙。

③袪（qū）：衣袖。

④何有：有什么可怜惜的。

⑤申孙：矢名。

⑥遽（jù）：急速。

⑦驲（rì）：驿站用的车。

【译文】

当时，晋献公派宦官勃鞮到蒲城去行刺晋文公，晋文公跳墙逃走，勃鞮割断了他的衣袖。到晋文公返国即位的时候，勃鞮请求拜见，晋文公拒绝了他，说：“当骊姬以谗言陷害我的时候，你在屏门内用箭射我，把我围困在蒲城，割断了我的衣袖。你又为晋惠公追赶我到渭水之滨，惠公命令你三天之内到达，可是你隔一夜就到了。你两次受献公、惠公的命令，只为了杀死我。我数次被你逼迫陷入困境，我和你有什么旧的仇怨呢？你下去好好想想，他日再来见我。”

勃鞮回答说：“我以为您已经知道君臣之道了，因此回到晋国，原来您还是不知道这个道理，那么您又将再次出走了。侍奉君主没有二心才是臣的本分，不因私人喜好厌恶而改变法则，才算是君主。君要像君，臣要像臣，这是历来明确的训诫。明确的训诫能够始终牢记，才真正是百姓的君王。在献公、惠公的时候，你只是蒲人、狄人而已，我有什么可怜惜的呢？除掉君王痛恨的人，只要我的能力能够达到，怎么能说我怀有二心呢？如今您即位以后，难道没有蒲人、狄人了吗？商代的伊尹放逐了太甲，最终使太甲成为贤明的君王。齐国的管仲伤害过齐桓公，最终使桓公成了诸侯之长。在齐鲁乾时战役中，管仲用申孙箭射中了齐桓公的衣带钩，衣带钩比衣袖离要害更近，桓公却没有抱怨的言语，而是以他为宰相辅佐自己一直到去世，终于成就好的名声。如今您的器量，为什么不能宽容些呢？憎恶那些好的大臣，您的君位还能长久吗？您实在是不能听从前人明确的训诫，抛弃了做百姓君王的道理。我只是一个有罪的人，又有什么可害怕的呢？但是您不接见我的话，难道您就不会后悔吗！”

在这个时候吕甥和冀芮害怕晋文公威胁，后悔接纳晋文公回国，因此谋划作乱，准备在己丑那天焚烧晋文公的宫室，等晋文公出来救火的时候就杀死他。勃鞮知道这个阴谋，所以来求见晋文公。文公马上出来接见他，说：“难道不是像你所说的那样吗？确实是因我怨恨在心，我请求去除这个念头。”勃鞮就把吕甥、冀芮的谋划告诉了晋文公。晋文公很害怕，乘驿站用的车走小道，脱身到王城与秦穆公会见，告诉了秦穆公吕、冀谋划作乱的情况。等到己丑那天，晋文公的宫室着火了，这两个人没有捉到文公，于是跑到黄河边上，秦穆公就把他们骗来杀掉了。

文公修内政纳襄王

【原文】

元年春，公及夫人嬴氏至自王城。秦伯纳卫三千人，实纪纲之仆。公属百官，赋职任功。弃责[①]薄敛，施舍分寡。救乏振滞，匡困资无。轻关易道，通商宽农。懋穑[②]劝分，省用足财。利器明德，以厚民性。举善援能，官方定物，正名育类。昭旧族，爱亲戚，明贤良，尊贵宠，赏功劳，事耇[③]老，礼宾旅，友故旧。胥、籍、狐、箕、栾、郤、柏、先、羊舌、董、韩，实掌近官。诸姬之良，掌其中官。异姓之能，掌其远官。公食贡，大夫食邑，士食田，庶人食力，工商食官，皂隶食职，官宰食加。政平民阜，财用不匮。

冬，襄王避昭叔之难，居于郑地汜。使来告难，亦使告于秦。子犯曰："民亲而未知义也，君盍纳王以教之义。若不纳，秦将纳之，则失周矣，何以求诸侯？不能修身，而又不能宗人，人将焉依？继文之业，定武之功，启土安疆，于此乎在矣，君其务之。"公说，乃行赂于草中之戎与丽土之狄，以启东道。

【注释】

①责（zhài）：通"债"，债务。

②懋（mào）穑（sè）：鼓励耕种。

③耇（gǒu）：年老，高寿。

【译文】

晋文公元年的春天，晋文公和夫人嬴氏回到晋国都城，秦穆公派三千人护送他们，都是仆人。晋文公会见在朝官员，授予职位，任用功臣。免除旧的债务，减少赋税，布施恩惠把钱财分给贫困的人，救济困难的人，选拔久未起用的贤人，匡济资助没有财产的人。减轻关税，扫除路匪，交换商货，宽免农民的劳役。鼓励耕种，劝解调和矛盾，节省费用来使资财充足。改良工具，彰明德行，以让百姓的品性敦厚。推举贤能，任用有能力的人，官员品行端正，按法办事，辨正名分，扶植美好的事物。昭显有功勋的旧臣，惠爱内外亲属，彰明贤士良臣，敬重有权受宠的人，奖赏有功劳的人，侍奉老人，礼待客卿，亲近旧日的友人。胥、籍、狐、箕、栾、郤、柏、先、羊舌、董、韩等十一姓的人，都担任朝廷近官。姬姓中贤良的人，担任朝廷中官。其他姓中有才能的人，担任地方官。王公通过贡赋养活自己，大夫通过城邑税收养活自己，士人通过禄田养活自己，一般平民通过自己的力量养活自己，工商之官通过领受官廪养活自己，皂隶通过他的职务养活自己，家臣通过大夫的加田养活自己。于是政治安定，百姓富足，钱财和生活用品不缺乏。

冬天，周襄王为躲避昭叔的祸患，住到郑国的氾地，派人到晋国告知危难请求救援，又派人到秦国告知此事。子犯说："百姓亲近君王但还不知道道义，您何不护送周襄王回国，以此来教导百姓懂得道义呢？如果您不护送，秦国就会送襄王回国，那么您就会失去侍奉周天子的机会，还凭什么来求得诸侯的支持呢？如果既不能修养自身的德行，又不能尊奉周天子，别人又怎么会依附您呢？继承晋文侯的业绩，建立晋武公的功德，扩大国土，安定疆域，就在于这次了，请您务必做好这件事。”晋文公听了很高兴，于是就送钱财给草中的戎民族和丽土的狄民族，用来保证向东的道路畅通。

文公救宋败楚于城濮

【原文】

文公立四年，楚成王伐宋，公率齐、秦伐曹、卫以救宋。宋人使门尹班告急于晋，公告大夫曰：“宋人告急，舍之则宋绝，告楚则不许我。我欲击楚，齐、秦不欲，其若之何？”先轸曰：“不若使齐、秦主楚怨。”公曰：“可乎？”先轸曰：“使宋舍我而赂齐、秦，借之告楚。我分曹、卫之地以赐宋人。楚爱曹、卫，必不许齐、秦。齐、秦不得其请，必属怨焉，然后用之，蔑[1]不欲矣。”公说，是故以曹田、卫田赐宋人。令尹子玉使宛春来告曰：“请复卫侯而封曹，臣亦释宋之围。”舅犯愠曰：“子玉无礼哉！君取一，臣取二，必击之。”先轸曰：“子与之。我不许曹、卫之请，是不许释宋也。宋众无乃强乎！是楚一言而有三施，子一言而有三怨。怨已多矣，难以击人。不若私许复曹、卫以携[2]之，执宛春以怒楚，既战而后图之。”公说，是故拘宛春于卫。子玉释宋围，从晋师。楚既陈，晋师退舍，军吏请曰：“以君避臣，辱也。且楚师老[3]矣，必败。何故退？”子犯曰：“二三子忘在楚乎？偃也闻之：战斗，直为壮，曲为老。未报楚惠而抗宋，我曲楚直，其众莫不生气，不可谓老。若我以君避臣，而不去，彼亦曲矣。”退三舍避楚。楚众欲止，子玉不肯，至于城濮，果战，楚众大败。君子曰：“善以德劝。”

【注释】

①蔑（miè）：无，没有。

②携：通“愶”，离间。

③老：与“壮”相对，疲劳衰弱。

【译文】

晋文公继位的第四年，楚成王讨伐宋国。晋文公率领齐、秦两国的军队讨伐曹、卫两国以解救宋国。宋国派门尹班向晋国报告危急的情况，晋文公对大夫们说：“宋国来求救，如果舍弃宋国不管，那么宋国就会灭亡。如果请求楚国撤军，楚国也不会答应我们。我想攻打楚军，齐、秦两国又不愿意，这该怎么办？”先轸说：“不如让齐、秦两国都决定怨恨楚国。”晋文公说：“能行吗？”先轸回答说：“让宋国舍弃我国，而去贿赂齐、秦两国，通过齐、秦去请求楚国撤军。我们分割曹、卫二国土地用来赐给宋国。楚国爱护曹、卫两国，肯定不答应齐国和秦国的请求。齐、秦两国的请求不成功，肯定会因此和楚国结怨，然后再让齐、秦两国参战，他们就不会不愿意了。”晋文公听了很高兴，因此将曹、卫两国的田地赐给了宋国。楚国的令尹子玉派宛春来请求说：“请你们恢复卫侯的君位，把曹国的封地退还给他，我们也消除对宋国的围攻。”子犯发怒说：“子玉太无礼了！晋国君王只得到一项好处，而他却得到两项好处，一定要攻打他。”先轸说：“你应该答应他的请求。我们不答应他们归还曹、卫两国土地的请求，等于不答应他们消除对宋国的包围，宋国的军队归属了楚国，楚国不是就更强大了吗？这样，楚国一句话对三个国家施惠，而你一句话却招了三个国家的仇怨。仇怨如果多了，就难以再去攻打楚国了。不如私下归还曹、卫两国的土地从而离间他们，然后抓住宛春用来激怒楚国，等战争触发以后再作打算。”晋文公听了以后很高兴，因此把宛春囚禁在卫国。子玉解除了对宋国的包围，转而追赶晋国的军队。楚军摆开阵形之后，晋文公下令军队退后三十里，军吏请求说：“作为国君却避让敌国的臣子，是一种耻辱。而且楚军已经很疲弱，必然战败，我军为什么要撤退呢？”子犯说：“你们都忘记了以前晋文公在楚国时的事情了吗？我听说过，作战，理直士兵就会强盛，理屈士兵就会疲弱。我们还没有报答以前晋文公在楚国时受到的恩惠，就来救宋国，这时我方理屈楚国理直，楚军士气就旺盛，不能说他们已经疲弱了。如果我方以国君避让了敌人的臣子，而楚军还不撤退，那对方也就理屈了。”于是晋军就撤退了九十里来避让楚军。楚军将士想要不在追击了，子玉不愿意。到了城濮，终于双方交战了，楚国的军队大败。君子说：“这是善于用德行来进行劝勉。”

文公任贤与赵衰举贤

【原文】

文公问元帅于赵衰，对曰："郤縠[1]可，行年五十矣，守学弥惇。夫先王之法志，德义之府也。夫德义，生民之本也。能惇笃者，不忘百姓也。请使郤縠。"公从之。公使赵衰为卿，辞曰："栾枝贞慎，先轸[2]有谋，胥臣多闻，皆可以为辅佐，臣弗若也。"乃使栾枝将下军，先轸佐之。取五鹿，先轸之谋也。郤縠卒，使先轸代之。胥臣佐下军。

公使原季为卿，辞曰："夫三德者，偃之出也。以德纪民，其章大矣，不可废也。"使狐偃为卿，辞曰："毛之智，贤于臣，其齿又长。毛也不在位，不敢闻命。"乃使狐毛将上军，狐偃佐之。狐毛卒，使赵衰代之，辞曰："城濮之役，先且居之佐军也善，军伐有赏，善君有赏，能其官有赏。且居有三赏，不可废也。且臣之伦[3]，箕郑、胥婴、先都在。"乃使先且居将上军。

公曰："赵衰三让。其所让，皆社稷之卫也。废让，是废德也。"以赵衰之故，蒐[4]于清原，作五军。使赵衰将新上军，箕郑佐之；胥婴将新下军，先都佐之。子犯卒，蒲城伯请佐，公曰："夫赵衰三让不失义。让，推贤也。义，广德也。德广贤至，又何患矣。请令衰也从子。"乃使赵衰佐新上军。

【注释】

①郤（xì）縠（hú）：春秋时晋国的公族，中军将。

②先轸（zhěn）：春秋时晋国的卿大夫，军事家，擅长谋略。

③伦：辈，辈分。

④蒐（sōu）：阅兵。

【译文】

晋文公问赵衰谁能够胜任元帅的职位，赵衰回答说："郤縠可以。他已经五十岁了，仍坚持学习，道德修养也更加敦厚。先王制定的法规与言行记录，这是道德信义的宝库。道德信义，是人民的根本。学问道德日益深厚的人，是不会忘记百姓的。请让郤縠担任这个职位。"晋文公听从了赵衰的建议。晋文公要任命赵衰为卿，赵衰辞谢说："栾枝忠贞谨慎，先轸有谋略，胥臣见多识广，都可以来辅佐您，我不如他们。"于是晋文公让栾枝统领下军，先轸辅助他。后来攻下五鹿，就是因为先轸的计策。郤縠死后，晋文公就让先轸代替他任元帅，由胥臣辅佐下军。

晋文公任命赵衰为卿，赵衰辞谢说："三件有功德的事情，都是狐偃出的计谋。用德行来治理人民，这个成果十分显著，不能不任用他。"晋文公就任命狐偃为卿，狐偃推辞说："狐毛比我更贤能，他的年纪又大于我。如果狐毛都不担任这个职位，我也不敢接受这个任命。"晋文公就让狐毛统率上军，由狐偃辅佐他。狐毛死后，晋文公让赵衰代替他的职位，赵衰又推辞说："在城濮之战中，先且居辅佐军队干得也很好，有军功的应当得到奖赏，让君王变得完美的应当得到奖赏，能完成自己职责的应当得到奖赏。先且居有这样三个应该受到奖赏的理由，不能不任用他。而且我这一类人，有箕郑、胥婴、先都等在。”晋文公于是让先且居统领上军。

晋文公说：“赵衰三次推让，他所推让的，都是能保卫国家的人。废除推让，就是废除德行。”因为赵衰，晋文公在清原阅兵，把部队重新分成五军。让赵衰统领新上军，箕郑辅助他；胥婴统领新下军，由先都辅助他。狐偃死后，蒲城伯先且居请求派人辅助他。晋文公说：“赵衰三次推让都非常恰当。辞让，是为了推举贤人。义，是为了推广德行。推广德行贤才就来了，那还有什么可担忧的呢！请让赵衰跟随你吧。”于是，晋文公便派赵衰辅佐新上军。

胥臣论教诲之力

【原文】

文公问于胥臣曰：“吾欲使阳处父傅欢也而教诲之，其能善之乎？”对曰：“是在欢也。籧篨[①]不可使俯，戚施不可使仰，僬侥不可使举，侏儒不可使援，蒙瞍不可使视，嚚瘖[②]不可使言，聋聩不可使听，僮昏不可使谋。质将善而贤良赞之，则济可竢[③]。若有违质，教将不入，其何善之为！臣闻昔者大任娠文王不变，少溲于豕牢，而得文王不加病焉。文王在母不忧，在傅弗勤，处师弗烦，事王不怒，孝友二虢[④]，而惠慈二蔡，刑[⑤]于大姒，比于诸弟。《诗》云：‘刑于寡妻，至于兄弟，以御于家邦。’于是乎用四方之贤良。及其即位也，询于八虞，而谘[6]于二虢，度于闳夭而谋于南宫，诹[7]于蔡、原而访于辛、尹，重之以周、邵、毕、荣，亿宁百神，而柔和万民。故《诗》云：“‘惠于宗公，神罔时恫。’是则文王非专教诲之力也。”公曰：“然则教无益乎？”对曰：“胡为文，益其质。故人生而学，非学不入。”

公曰：“奈夫八疾何！”对曰：“官师之所材也，戚施直镈[8]，籧篨蒙璆[9]，侏儒扶卢，蒙瞍循声，聋聩司火。僮昏、嚚瘖、僬侥，官师所不材也，以实裔土。夫教者，因体能质而利之者也。若川然有原，以御浦而后大。”

【注释】

①籧篨（qú chú）：脊柱强直患者，不能够俯视。

②嚚瘖（yín yī）：哑巴。

③竢（sì）：通“俟”，等待。

④二虢（guó）：虢仲和虢叔，都是周文王的兄弟。

⑤刑：通“型”，榜样。

⑥谘（zī）：咨询。

⑦诹（zōu）：商议。

⑧镈（bó）：敲钟。

⑨璆（qiú）：玉磬。

【译文】

晋文公问胥臣说：“我想让阳处父做欢的老师来教育指导他，他能教育好吗？”胥臣回答说：“这主要取决于欢。不能让患脊柱强直病的人俯身，不能让驼背仰头，不能让矮人举重物，不能让侏儒攀高，不能让盲人看见东西，不能让失声者说话，不能让失聪者听见声音，不能让愚昧无知的人出主意。本质好而通过贤良的人引导，就可以等待他有所成就了。如果他本质邪恶，教育他也不能被他接受，怎么能使他为善呢！我听说，以前周文王的母亲怀他的时候身体没有变化，在厕所里小解的时候，就生下了文王，没有附加任何痛苦。文王不用母亲担忧，不用傅姆多操心思，在老师身边不让老师感到烦扰，侍奉君王不让君王生气，对两个弟弟虢仲和虢叔很友爱，对两个儿子大蔡和小蔡慈爱柔和，为自己的妻子大姒做出榜样，与同宗的兄弟也很亲和。《诗》上说：‘刑于寡妻，至于兄弟，以御于家邦。’这样就能任用天下的贤才良士。到他即位之后，有事的时候询问八虞和虢仲、虢叔两兄弟，与闳夭、南宫一起谋划，拜访蔡公、原公、辛甲、尹佚四位太史与他们一起商议，再加上有周文公、邵康公、毕公和荣公的帮助，从而让众神安宁，使万民安定平和。因此《诗》上说：‘惠于宗公，神罔时恫。’像这样的话，那么周文王就不单单是得益于教育指导的作用了。”晋文公说：“这样说来，那么教育就没有好处了吗？”胥臣回答说：“要文采做什么呢，就是为了使他的本质更加美好。所以人生下来以后就需要学习，不学习就不能走上正道。”

晋文公说：“那拿之前说的有那八种疾病的人怎么办呢？”胥臣回答：“这就要因材施教了，驼背的让他主持敲钟，不能俯身的让他戴上玉磬，侏儒让他去演杂技，盲人让他修治声乐，聋人让他负责烧火。愚昧的人、哑巴和矮人，如果实在难以因材而用的，就让他们去充实偏僻地区。教育，就是根据他的身体和本质而做出对他有利的事，就像江河有它的源头，依赖江河然后让它变成大流。”

赵文子冠

【原文】

赵文子冠，见栾武子，武子曰：“美哉！昔吾逮[1]事庄主，华则荣矣，实之不知，请务实乎。”

见中行宣子，宣子曰：“美哉！惜也，吾老矣。”

见范文子，文子曰：“而今可以戒矣。夫贤者宠至而益戒，不足者为宠骄。故兴王赏谏臣，逸王罚之。吾闻古之言王者，政德既成，又听于民，于是乎使工诵谏于朝，在列者献诗使勿兜，风听胪言[2]于市，辨袄祥于谣，考百事[3]于朝，问谤誉于路，有邪而正之，尽戒之术也。先王疾是骄也。”

见郤驹伯，驹伯曰：“美哉！然而壮不若老者多矣。”

见韩献子，献子曰：“戒之，此谓成人。成人在始与善。始与善，善进善，不善蔑由至矣；始与不善，不善进不善，善亦蔑由至矣。如草木之产也，各以其物。人之有冠，犹宫室之有墙屋也，粪除而已，何又加焉。”

见智武子，武子曰：“吾子勉之，成、宣之后而老为大夫，非耻乎！成子之文，宣子之忠，其可忘乎！夫成子导前志以佐先君，导法而卒以政，可不谓文乎！夫宣子尽谏于襄、灵，以谏取恶，不惮死进，可不谓忠乎！吾子勉之，有宣子之忠，而纳之以成子之文，事君必济。”

见苦成叔子，叔子曰：“抑年少而执官者众，吾安容子。”

见温季子，季子曰："谁之不如，可以求之。"

见张老而语之，张老曰："善矣，从栾伯之言，可以滋；范叔之教，可以大；韩子之戒，可以成。物备矣，志在子。若夫三郤，亡人之言也，何称述焉！智子之道善矣，是先主覆露子也。"

【注释】

①逮：赶上。

②胪（lú）言：传言。

③百事：百官职事。

【译文】

赵文子举行了加冠典礼后，去拜访栾武子，武子说："美啊！以前我担任你父亲赵庄子的副手，他虽然外表很美，但内心空虚，请你做到内在的充实吧！"

赵文子去见中行宣子，宣子说："美啊！可惜我已经老了。"

去见范文子，文子说："你应该警惕，贤明的人因为受到宠爱而需要更加警诫，不够聪明的人会因为得宠骄傲起来。所以能够振兴国家的君王会奖励那些敢于进谏的臣子们，而昏庸的君王却惩罚他们。我曾听说古时候的君王，在建立了德政以后，又能听取百姓的意见，会让失明的乐师在朝廷之上诵读前代的箴言，让百官献诗讽谏，让自己不受蒙蔽，在市场上听取商旅的传言，在歌谣中分析吉凶，在朝廷上考察百官职务，在道路上询问毁誉，有邪曲的地方就纠正过来，这全都是警惕的方法。先王最不能容忍的就是骄傲。"

去见郤驹伯，驹伯说：“美啊！但壮年人不如老年人的地方有很多。”

去见韩献子，献子说：“要小心警诫，这叫作成人。成人的关键在于从一开始就要学会亲近善人。如果一开始就亲近善人，善人又引进善人，那么，不善的人就不会到自己身边了。如果一开始就亲近不善的人，不善的人又带来不善的人，那么，善人也就不会到自己身边了。就好像草木的生长一样，是一类的才长到一起。人戴上冠冕，就像宫室有了墙屋，只是保持清洁而已，其他还有什么呢？”

去见智武子，武子说：“你要努力啊！作为赵成子、宣子的后代，做了大夫那么久，难道不感到耻辱吗？成子的文才，宣子的忠心，难道就能忘记吗？成子熟悉前代的典章，所以辅佐文公，最终获得执政，这难道不是文吗？宣子在襄公、灵公时尽心劝诫，但因为强谏所以被灵公憎恨，仍然冒死进谏，这难道不是忠吗？你要好好努力，要有宣子的忠心，还要有成子的文才，侍奉君王就一定会成功的。”

去见苦成叔子郤犨，叔子说：“当官的年轻人很多，我如何安排你呢？”

去见温季子郤至，季子说：“你赶不上别人，那么就退一步。”

赵文子去见张老，把各位卿大夫的话全告诉了他。张老说：“这很好，听从栾伯的话，能让自己不断进步；听从范叔的教诲，能恢宏自己的德行；听从韩子的告诫，会对你的事业有所帮助。条件都具备了，能否做到就看你自己了。至于三郤的话，那是使人丧气的言论，没有什么值得称道的地方。智子的话很正确，是先人的恩泽守护着你啊。”

范文子论胜楚必有内忧

【原文】

鄢之役，晋伐郑，荆救之。栾武子将上军，范文子将下军。栾武子欲战，范文子不欲，曰："吾闻之，唯厚德者能受多福，无德而服者众，必自伤也。称晋之德，诸侯皆叛，国可以少安。唯有诸侯，故扰扰焉，凡诸侯，难之本也。且唯圣人能无外患又无内忧，讵[①]非圣人，不有外患，必有内忧，盍姑释荆与郑以为外患乎！诸臣之内相与，必将辑睦[②]。今我战又胜荆与郑，吾君将伐智而多力，怠教而重敛，大其私昵[③]而益妇人田，不夺诸大夫田，则焉取以益此？诸臣之委室而徒退者，将与几人？战若不胜，则晋国之福也；战若胜，乱地之秩者也，其产将害大，盍姑无战乎！"栾武子曰："昔韩之役，惠公不复舍；邲之役，三军不振旅；箕之役，先轸不复命：晋国固有大耻三。今我任晋国之政，不毁晋耻，又以违蛮、夷[④]重之，虽有后患，非吾所知也。"范文子曰："择福莫若重，择祸莫若轻，福无所用轻，祸无所用重，晋国故有大耻，与其君臣不相听以为诸侯笑也，盍姑以违蛮、夷为耻乎。"栾武子不听，遂与荆人战于鄢陵，大胜之。于是乎君伐智而多力，怠教而重敛，大其私昵，杀三郤而尸诸朝，纳其室以分妇人，于是乎国人不蠲[⑤]，遂弑诸翼，葬于翼东门之外，以车一乘。厉公之所以死者，唯无德而功烈多，服者众也。

【注释】

①讵（jù）：如果。

②辑（jí）睦：和睦。

③私昵：亲近、宠爱的人。

④蛮、夷：分别是南方西方的少数民族，代指楚国。

⑤不蠲（juān）：不以为洁。蠲，洁。

【译文】

在鄢陵之战中，晋国攻打郑国，楚国来救援。栾武子统领上军，范文子统领下军。栾武子想要出战，范文子不想，说："我听说，只有德行敦厚的人能够享受更多的福分，没有德行而顺从的人很多，必定会对自己造成伤害。衡量晋国的德行，如果诸侯都背叛了他们，他们国内才可以稍微获得安宁。正因为有这些诸侯，所以才会很烦乱，这些诸侯，才是祸难的根源。况且只有圣人才能做到既没有外患也没有内忧，如果不是圣人，没有外患，必定有内忧，我们何不暂且不管楚国和郑国，而把它们作为外患呢！大臣们在内部交好，肯定会和睦。如果我们现在与楚国和郑国作战并战胜了他们，那么我们的君王就会夸耀自己的才智和赞许自己的力量，怠慢教化而加重赋税，增加宠臣俸禄，增加爱妾田地，那么不夺取大夫们的田地，又能从哪里获得来赏赐给他们呢？大臣们肯交出封地而甘心引退的人，能有几个呢？如果打仗没打赢，那才是晋国的福气；如果打胜了，那么就会打乱分配土地的秩序，这造成的危害将很大，何不姑且不打仗呢。"栾武子回答道："以前在与韩国打仗的时候，晋惠公被俘不能回国；在邲之战中，三军不能整顿班师回国；在箕之战时，先轸不能生还复命。这是晋国原先有的三大耻辱。现在我主持晋国的政事，不能除去晋国的耻辱，反倒避开楚国来加重这个耻辱，即使有后患，也不是我能知道的。”范文子说：“选择福分没有不选择分量大的，选择祸患没有不选择分量轻的，福不能要轻的，祸不能要重的，晋国本来有很大的耻辱，与其君臣不互相信任而失败以致被诸侯们耻笑，何不避开楚国这样的耻辱呢。”栾武子不采纳范文子的意见，与楚国在鄢陵交战，大胜楚国。于是这样一来，国君就夸耀自己的才智、赞许自己的力量，怠慢教化而加重赋税，增加宠臣的俸禄，杀了三郤并陈尸于朝廷，收取了他们的封地分给自己的妻妾。这样国人都不认为他的行为很高尚，于是在翼城杀了他，把他埋葬在翼城的东城门外，只用一辆车陪葬。晋厉公之所以就这么死了，就是因为他没有德行而功勋过多，顺从的诸侯众多。

祁奚荐子午以自代

【原文】

祁奚辞[1]于军尉，公问焉，曰：“孰可？”对曰：“臣之子午可。人有言曰：‘择臣莫若君，择子莫若父。’午之少也，婉以从令，游有乡[2]，处有所，好学而不戏。其壮也，强志而用命，守业而不淫。其冠也，和安而好敬，柔惠小物，而镇定大事，有质直而无流心，非义不变，非上不举。若临大事，其可以贤于臣。臣请荐所能择而君比义焉。”公使祁午为军尉，殁平公，军无秕政[3]。

【注释】

①辞：辞职。

②乡：同“向”，方向。

③秕（bǐ）政：不良的军事措施。

【译文】

祁奚辞去军尉的职务，晋悼公问他：“那谁来接替你？”祁奚回答说：“我的儿子祁午可以。人们常说：‘选择臣子没有人可以比得上君主，选择儿子没有人可以比得上父母。’祁午小时候，乖巧听话，外出玩耍会事先告诉父母他的去向，有事逗留会告知父母地点，喜欢学习而不贪玩。长大后，学识广泛，遵从父母的命令，能够坚守学业而心无旁骛。二十岁举行冠礼之后，为人和气，谦逊有礼，在小的事情上都表现出仁爱，面临大事从不慌乱，性格质朴耿直从不放纵自己，不符道义的事情不做，如果没有长官的命令就不擅自行动。如果让他来处理军国大事，会比我做得更好。请允许我推荐自己的儿子，但最终由您来决定。”于是悼公便让祁午担任军尉。一直到晋平公去世，军队中都没有出现过错误。

医和视平公疾

【原文】

平公有疾，秦景公使医和视之，出曰：“不可为也。

是谓远男而近女，惑以生蛊；非鬼非食，惑以丧志。良臣不生，天命不祐。若君不死，必失诸侯。”赵文子闻之曰：“武从二三子以佐君为诸侯盟主，于今八年矣，内无苛慝[①]，诸侯不二，子胡曰‘良臣不生，天命不祐’？”对曰：“自今之谓。和闻之曰：‘直不辅曲，明不规暗，榣木不生危，松柏不生埤[②]。’吾子不能谏惑，使至于生疾，又不自退而宠其政，八年之谓多矣，何以能久！”文子曰：“医及国家乎？”对曰：“上医医国，其次疾人，固医官也。”文子曰：“子称蛊，何实生之？”对曰：“蛊之慝，谷之飞实生之。物莫伏于蛊，莫嘉于谷，谷兴蛊伏而章明者也。故食谷者，昼选男德以象谷明，宵静女德以伏蛊慝，今君一之，是不飨谷而食蛊也，是不昭谷明而皿蛊也。夫文，‘虫’‘皿’为‘蛊’，吾是以云。”文子曰：“君其几何？”对曰：“若诸侯服不过三年，不服不过十年，过是，晋之殃也。”是岁也，赵文子卒，诸侯叛晋，十年，平公薨。

【注释】

①苛（kē）慝（tè）：暴虐邪恶。

②埤（bì）：低处。

【译文】

晋平公生了小病，秦景公派遣医和来给他看病，医和出来后说：“这病我已经不能治了。他是因为疏远男人而亲近女人，受了迷惑而生了蛊病。不是因为鬼怪和饮食，而是因为女色的迷惑而丧失心志。良臣不能继续生存，上天的意志也不会保佑。如果国君不死，一定会失去诸侯的拥护。”赵文子听说后，说：“我与其他卿大夫辅佐国君成为诸侯的盟主，到现在已经八年，国内没有暴虐邪恶，诸侯没有二心，你为什么说‘良臣不生，天命不祐’呢？”医和回答说：“我说的是从现在开始的情况，我听说：‘正直的不能辅助邪曲的，明智的不能劝谏昏暗的，粗大的树不能长在高陡的地方，松柏不能生长在低下的地方。’你不能谏诤君主迷惑于女色的情况，以至于使他生了病，又不能自己引退反而以执政为荣耀，认为八年就已经够多了，这怎么能更长久呢！”赵文子问：“医病的道理能推广到国家吗？”医和回答说：“上等的医生去医治国家，次一等的只会医治生病的人，这本来就是医生的职责。”赵文子又问：“你所说的蛊病，是从哪里滋生出来的呢？”医和回答说：“蛊的灾害，是从谷物飞扬的种子中滋生出来的。万物中没有不隐藏蛊的，也没有比谷物更好的，谷物丰盛蛊就隐藏起来，谷子不霉烂，人吃了就聪明受益。所以吃谷物的人，白天选择有德行的男子亲近，以象征谷物的明智，夜晚与有德行的女子一起休息，以避免蛊惑。如今君王把这两者混而为一，不分昼夜地亲近女子，这就如同不享用谷物而去吃蛊虫啊，就不能昭显谷物的明智，而是成了容纳蛊的器皿。在文字中，‘虫’和‘皿’二字合在一起就是‘蛊’字，我因此才这么说。”赵文子说：“那君王还能活多久呢？”医和回答说：“如果诸侯都顺从他，最多能活三年，诸侯不顺从他，最多能活十年，超过了这个年限，就是晋国的灾难了。”这一年，赵文子死了，诸侯都背叛了晋国。十年以后，平公死去。

叔向论忧德不忧贫

【原文】

叔向见韩宣子，宣子忧贫，叔向贺之，宣子曰："吾有卿之名，而无其实，无以从二三子，吾是以忧，子贺我何故？"对曰："昔栾武子[1]无一卒之田[2]，其宫不备其宗器，宣其德行，顺其宪则，使越于诸侯，诸侯亲之，戎、狄怀之，以正晋国，行刑不疚，以免于难。及桓子骄泰奢侈，贪欲无艺，略则行志，假贷居贿，宜及于难，而赖武之德，以没其身。及怀子改桓之行，而修武之德，可以免于难，而离桓之罪，以亡于楚。夫郤昭子，其富半公室，其家半三军，恃其富宠，以泰[3]于国，其身尸于朝，其宗灭于绛。不然，夫八郤，五大夫三卿，其宠大矣，一朝而灭，莫之哀也，唯无德也。今吾子有栾武子之贫，吾以为能其德矣，是以贺。若不忧德之不建，而患货之不足，将吊不暇，何贺之有？"宣子拜稽首焉，曰："起也将亡，赖子存之，非起也敢专承之，其自桓叔以下嘉吾子之赐。"

【注释】

①栾武子：晋国正卿。

②一卒之田：百亩田地。

③泰：骄纵，傲慢。

【译文】

叔向去拜见韩宣子，宣子正在担忧自己贫困的处境，叔向却祝贺他。韩宣子说："我只有卿大夫的名声，却没有正卿应当拥有的财产，没有办法跟其他卿大夫们往来，我正因此而担忧，你为什么要祝贺我？"叔向回答说："从前栾武子只有不到百顷的田地，他的家里连祭祀的礼器都不完整，但是他能宣扬德行，顺从法令制度，使他的名声传播到其他诸侯那里，诸侯亲近他，戎、狄等民族归顺他，依靠这些整治晋国，让执行刑罚的判决没有过失，因此避免了灾难。到他儿子栾桓子这一代，就骄恣放纵挥霍无度，贪婪的欲望没有满足的时候，违反法度凭自己的意志行事，通过借贷来牟利囤积财物，本来应该遭到灾祸，但是凭借他父亲栾武子留存的德行，才得以善终。到了栾怀子，纠正了栾桓子留下的作风，发扬栾武子的美德，原本可以因此免除灾祸，但是受他父亲栾桓子的连累，因此遭难逃到了楚国。郤昭子，他的财富相当于晋国王室的一半，他家的人在三军的统帅里占了一半，依仗着他的财富和受宠，在国内骄横傲慢。结果他自己死在了朝廷，他的宗族也在晋国都城被消灭。如果不是这样的话，郤氏的八个人，有五个做了大夫，有三个做了卿，他们家族受到的宠幸非常大了，一朝被灭族，竟没有人来同情他们，就是因为没有德行啊。现在你像栾武子那样清贫，我认为你也能具备他那样的美德，因此向你祝贺。如果你没有忧虑自己的德行没有竖立起来，反而是发愁财物不充足，我哀悼你还来不及，怎么会祝贺你呢？"韩宣子下拜叩头，说："我将要灭亡的时候，全靠您保全了我，这不是我自己敢单独承受的，恐怕从我的祖先桓叔以来的韩氏，都要称赞您的恩赐。”

董叔欲为系援

【原文】

董叔将娶于范氏，叔向曰：“范氏富，盍[1]已乎！”曰：“欲为系援焉。”他日，董祁愬于范献子曰：“不吾敬也。”献子执而纺于廷之槐，叔向过[2]之，曰：“子盍为我请乎？”叔向曰：“求系，既系矣；求援，既援矣。欲而得之，又何请焉？”

【注释】

①盍：何不。

②过：拜访。

【译文】

董叔想娶范献子的妹妹范祁作为妻子，叔向说：“范家十分富有，我看这门亲事还是算了吧！”董叔回答说：“我正想凭借这次婚事来攀附范氏家族。”婚后的一天，范祁对范献子说：“董叔他不尊重我。”献子就把董叔抓来，吊在庭院里的槐树上。正巧叔向来拜访，董叔说：“你为什么不替我求情呢？”叔向说：“你以前想要攀附范氏，现在你已经攀附上了。你想要的都已经得到，你还有什么可请求的呢？”

史黯论良臣

【原文】

赵简子曰："吾愿得范、中行之良臣。"史黯侍[1]，曰："将焉用之？"简子曰："良臣，人之所愿也，又何问焉？"对曰："臣以为不良故也。夫事君者，谏过而赏善，荐[2]可而替否，献能而进贤，择材而荐之，朝夕诵善败而纳之。道之以文，行之以顺，勤之以力，致之以死。听则进，否则退。今范、中行氏之臣不能匡相[3]其君，使至于难；君出在外，又不能定，而弃之，则何良之为？若弗弃，则主焉得之？夫二子之良，将勤营其君，复使立于外，死而后止，何日以来？若来，乃非良臣也。"简子曰："善。吾言实过矣。"

【注释】

①侍：侍从。

②荐：进献，推举。

③相：辅助。

【译文】

赵简子说："我希望能得到范氏、中行氏两家的良臣。"史黯侍候在一旁，说："你准备用他们来干什么？"简子说："良臣，是人们都希望得到的，又有什么可问的呢？"史黯回答说："因为我认为他们并不是良臣所以发问。作为侍奉君王的人，应当劝谏君主的过失，勉励君王的善行，推荐好的而去除不好的。推荐有才能的贤人，选择有才能的推荐，每日讲述善恶的道理让君主听见。用礼仪来引导君王，帮助君王实行正道，尽力帮助君王，用死亡来保护君王。君王能听从意见，就在朝任事，不能听从意见，就辞官隐退。现在范氏、中行氏的臣子，不能匡正辅助他们的君王，反而使君主遭到灾祸；君王逃亡到国外，又不能使他获得安定，反而抛弃了他们的君王，那么这算什么良臣呢？如果不是这样的话，那么您又怎么能得到他们呢？如果真的是范氏、中行氏的良臣，就应当勤恳地为君主经营谋划，使君主的地位在国外重新确立，一直到死为止，那么哪一天能到您这里来呢？如果来了，那也就不是良臣了。”赵简子说：“说得很好，我之前的话确实错了。”

郑语

史伯为桓公论兴衰

【原文】

桓公为司徒，甚得周众与东土之人，问于史伯曰："王室多故，余惧及焉，其何所可以逃死？"

史伯对曰："王室将卑，戎、狄必昌，不可偪也。当成周者，南有荆蛮、申、吕、应、邓、陈、蔡、随、唐；北有卫、燕、狄、鲜虞、潞、洛、泉、徐、蒲；西有虞、虢、晋、隗、霍、杨、魏、芮；东有齐、鲁、曹、宋、滕、薛、邹、莒；是非王之支子母弟甥舅也，则皆蛮、荆、戎、狄之人也。非亲则顽，不可入也。其济、洛、河、颍之间乎！是其子男之国，虢、郐为大，虢叔恃势，郐[①]仲恃险，是皆有骄侈怠慢之心，而加之以贪冒。君若以周难之故，寄孥与贿焉，不敢不许。周乱而弊，是骄而贪，必将背君，君若以成周之众，奉辞伐罪，无不克矣。若克二邑，邬、弊、补、舟、依、䍡、历、华，君之土也。若前华后河，右洛左济，主芣、騩[②]而食溱、洧，修典刑以守之，是可以少固。"

公曰："南方不可乎？"对曰："夫荆子熊严生子四人：伯霜、仲雪、叔熊、季紃。叔熊逃难于濮而蛮，季紃是立，薳氏[③]将起之，祸又不克。是天启之心也，又甚聪明和协，盖其先王。臣闻之，天之所启，十世不替。夫其子孙必光启土，不可偪也。且重、黎之后也，夫黎为高辛氏火正，以淳耀敦大，天明地德，光照四海，故命之曰‘祝融’，其功大矣。

“夫成天地之大功者，其子孙未尝不章，虞、夏、商、周是也。虞幕能听协风，以成乐物生者也。夏禹能单平水土，以品处庶类者也。商契能和合五教，以保于百姓者也。周弃能播殖百谷蔬，以衣食民人者也。其后皆为王公侯伯。祝融亦能昭显天地之光明，以生柔嘉材者也，其后八姓于周未有侯伯。佐制物于前代者，昆吾为夏伯矣，大彭、豕韦为商伯矣。当周未有。

“己姓昆吾、苏、顾、温、董，董姓鬷夷、豢龙[④]，则夏灭之矣。彭姓彭祖、豕韦、诸稽，则商灭之矣。秃姓舟人，则周灭之矣。妘姓邬、郐、路、偪阳，曹姓邹、莒，皆为采卫，或在王室，或在夷、狄，莫之数也。而又无令闻，必不兴矣。斟姓无后。融之兴者，其在芈姓乎？芈姓夔越不足命也。闽芈[⑤]蛮矣，唯荆实有昭德，若周衰，其必兴矣。姜、嬴、荆芈，实与诸姬代相干也。姜，伯夷之后也；嬴，伯翳之后也。伯夷能礼于神以佐尧者也，伯翳能议百物以佐舜者也。其后皆不失祀而未有兴者，周衰其将至矣。”

公曰:“谢西之九州，何如？”对曰:“其民沓贪而忍，不可因也。唯谢、郏之间，其冢君侈骄，其民怠沓[⑥]其君，而未及周德；若更君而周训之，是易取也，且可长用也。”

公曰:“周其弊乎？”对曰:“殆于必弊者也。《泰誓》曰:‘民之所欲，天必从之。’今王弃高明昭显，而好谗慝暗昧；恶角犀丰盈，而近顽童穷固。去和而取同。夫和实生物，同则不继。以他平他谓之和，故能丰长而物归之；若以同裨[⑦]同，尽乃弃矣。故先王以土与金木水火杂，以成百物，是以和五味以调口，刚四支以卫体，和六律以聪耳，正七体以役心，平八索以成人，建九纪以立纯德，合十数以训百体。出千品，具万方，计亿事，材兆物，收经入，行姟[8]极。故王者居九畡[9]之田，收经入以食兆民，周训而能用之，和乐如一。夫如是，和之至也。于是乎先王聘后于异姓，求财于有方，择臣取谏工而讲以多物，务和同也。声一无听，物一无文，味一无果，物一不讲。王将弃是类也而与剸同，天夺之明，欲无弊，得乎？

“夫虢石父谗谄巧从之人也，而立以为卿士，与剸同也；弃聘后而立内妾，好穷固也；侏儒戚施[10]，实御在侧，近顽童也；周法不昭，而妇言是行，用谗慝[11]也；不建立卿士，而妖试幸措，行暗昧也。是物也，不可以久。且宣王之时有童谣，曰：‘檿弧[12]箕服，实亡周国。’于是宣王闻之，有夫妇鬻是器者，王使执而戮之。府之小妾生女而非王子也，惧而弃之。此人也，收以奔褒。天之命此久矣，其又何可为乎？

“《训语》有之曰：‘夏之衰也，褒人之神化为二龙，以同于王庭，而言曰：‘余，褒之二君也。’夏后卜杀之与去之与止之，莫吉。卜请其漦[13]而藏之，吉。乃布币焉而策告之，龙亡而漦在，椟而藏之，传郊之。’及殷、周，莫之发也。及厉王之末，发而观之，漦流于庭，不可除也。王使妇人不帏而譟之，化为玄鼋[14]，以入于王府。府之童妾未既龀[15]而遭之，既笄而孕，当宣王时而生。不夫而育，故惧而弃之。

“为弧服者方戮在路，夫妇哀其夜号也，而取之以逸，逃于褒。褒人褒姁有狱，而以为入于王，王遂置之，而嬖[16]是女也，使至于为后而生伯服。天之生此久矣，其为毒也大矣，将使候淫德而加之焉。毒之酋腊者，其杀也滋速。申、缯、西戎方强，王室方骚，将以纵欲，不亦难乎？

“王欲杀太子以成伯服，必求之申，申人弗畀，必伐之。若伐申，而缯与西戎会以伐周，周不守矣！缯与西戎方将德申，申、吕方强，其隩爱太子亦必可知也，王师若在，其救之亦必然矣。王心怒矣，虢公从矣，凡周存亡，不三稔矣！君若欲避其难，其速规所矣，时至而求用，恐无及也！”

公曰：“若周衰，诸姬其孰兴？”对曰：“臣闻之，武实昭文之功，文之祚尽，武其嗣乎！武王之子，应、韩不在，其在晋乎！距险而邻于小，若加之以德，可以大启。”公曰：“姜、嬴其孰兴？”对曰：“夫国大而有德者近兴，秦仲、齐侯，姜、嬴之隽也，且大，其将兴乎？”公说，乃东寄帑与贿，虢、郐受之，十邑皆有寄地。

【注释】

①郐（kuài）：古国名，在今河南新密东南。

②芣（fú）、騩（guī）：芣山和騩山。

③蒍（wěi）氏：楚国大夫。

④豢（huàn）龙：董姓的古国。

⑤闽芈（mǐ）：芈姓一支。

⑥怠沓：懈怠轻慢。

⑦裨：增添，补助。

⑧姟（gāi）：数大到极点。

⑨畡（gāi）：古同“垓”。

⑩戚施：驼背的残疾人。

⑪谗慝（tè）：邪恶奸佞。

⑫檿（yǎn）弧：山桑木做的弓。

⑬漦（chí）：涎沫，即唾。

⑭玄鼋（yuán）：蜥蜴。

⑮龀（chèn）：换牙，孩童一般七岁开始换牙。

⑯嬖（bì）：宠爱。

【译文】

郑桓公担任周幽王的司徒，获得西周民众和周土以东百姓的心，他问史伯说：“周王室很多灾难，我害怕落在我身上，到哪里才可以躲避一死呢？”

史伯回答说：“周王室将要衰亡，戎、狄一定会昌盛起来，不可以接近它们。在周的都城洛邑，南方有楚蛮、申、吕、应、邓、陈、蔡、随、唐九个国家；北方有卫、燕、狄、鲜虞、潞、洛、泉、徐、蒲九个国家；西面有虞、虢、晋、隗、霍、杨、魏、芮八个国家；东面有齐、鲁、曹、宋、滕、薛、邹、莒八个国家；这些国家假如不是周王的同姓民族、母弟甥舅这些亲戚，一定是蛮、夷、戎、狄这些少数民族。不是亲属一定是凶顽之民，不可以去那里。该去的是济水、洛水、黄河、颍水那一带！这个地带全是封为子、男爵位的国家，里面虢国和郐国最大，虢叔凭借地势，郐仲依靠险要，他们全部有骄奢怠慢的思想，而且很贪婪。您如果以周王室遭难为借口，把妻子、财物存放到那里，他们不会不答应。周王室混乱而衰微，这些人骄侈贪婪，一定会背叛您，您假如率领洛邑之师，奉天子之命去征伐他们，不会不成功。假如攻克了两国，那么邬、弊、补、舟、依、㱾、历、华八个邑，就全部是您的国土了，假如前面有华邑，后方有黄河，右方有洛水，左方有济水，主祭芣山和騩山，饮溱、洧两条河的水，遵照旧法来守卫这片土地，那肯定可以稍稍稳固了。”

桓公说：“那南方不行吗？”史伯回答说：“楚王熊严生了伯霜、仲雪、叔熊、季纠这四个儿子。叔熊落难到濮地跟随了蛮俗，季纠成了国君，薳氏想重新立叔熊为君，又遇难没有成功。这是上天引导季纠的心啊，他很聪明，可以团结和协调好臣民的心，功德超越先王。我听说，上天所引导的，十代也不会废。他的子孙一定可以开拓疆土，不能靠近。况且他们是重、黎的后代，黎是高辛氏的火官，由于他纯洁博大，有日月的光明、大地的美德，光辉照耀四海，因此被命名为‘祝融’，他的功劳太大了。

“只要是完成大业的人，他的后代子孙没有不显耀的，虞、夏、商、周全是这样。虞幕能听见和风，养育万物很好地生长。夏禹能够治理洪水，使万物生长得其所。商契能协和五教，教养安慰百姓。周弃可以播种和繁殖百谷、蔬菜，供应百姓衣食。他们的后代全部成为王公侯伯。祝融也能显露天地的光明，养育滋润嘉美的五谷材木，他八个姓的后代在周朝没有做诸侯之长的。在前代辅助治理国家的，昆吾是夏朝诸侯之中最大的，大彭、豕韦是商朝的诸侯之长。在周朝没有。

“己姓的昆吾、苏、顾、温、董，董姓的鬷夷、豢龙，在夏代时就灭亡了。彭姓的彭祖、豕韦、诸稽，在商代就灭亡了。姓秃的舟人，在周朝时就灭亡了。妘姓的邬、郐、路、偪阳，曹姓的邹、莒，全部在边远的采服、卫服地区，有的在王室很近的地方，有的在夷、狄境内，统计不清楚。而他们也没有美名显扬，绝对不能兴起了。斟姓没有后代。祝融的后代能够复兴的，应该是芈姓吧？芈姓的夔越不够受命。身处蛮地的芈姓已经蛮化了，唯有楚国确实有明德，假如周朝衰败，楚国一定会兴盛起来。姜姓、嬴姓和楚国的芈姓，他们将与姬性的势力各有消长。姜姓是伯夷的后人，嬴姓是伯翳的后人。伯夷能礼敬神灵来帮助尧，伯翳能够使百物各得其宜来辅佐舜。他们的后代都没有丢掉祭祀，但没有兴盛的，周朝的衰亡快要到了。”

桓公说：“谢国西面的九州，如何？”史伯回答说：“那里的百姓非常贪婪残忍，不可以接近他们。唯有谢国和郏地中间的国家，那里的国君骄奢淫逸，百姓懈怠他们的君王，还没有忠信的德行；假如更换国君而用忠信来引导他们，那是容易获得的，并且可以长久统治下去。”

桓公说：“周朝将会衰亡吗？”史伯回答说：“差不多要衰亡了。《尚书·泰誓》上说：‘老百姓向往的，上天一定会遵从。’如今周幽王抛弃光明正大有德行的人，喜欢挑拨曲直、阴险狡诈的人，厌烦贤明正直的人，接近愚顽鄙陋的人。排斥和自己意见不一样的正确主张，听取与自己一样的错误说法。其实和谐才能够生成万物，同一就不可以发展。把不一样的东西加以协调平衡叫作和谐，因而能丰富发展而使万物获得统一；假如把相同的东西相加，用完之后就没有了。因此先王把土和金、木、水火一起配合，而形成万物。所以调配五种滋味以满足人的口味，强健四肢来保护身体，调节六种音律使它悦耳动听，端正七窍来为心服务，协调身体的八个部分让人完整，设置九脏以建立纯正的德行，聚成十种等级来训导百官。所以产生了千种品位，形成了上万方法，统计成亿的事物，经营万亿的财物，获得万兆的收入，进行无数的行动。因此君王拥有九州辽阔的土地，获得收入来供养万民，用忠义来教化和使用他们，使他们协和安乐像一家人。如此的话，便是和谐的顶点了。所以先王从异姓的家族中聘娶王后，从四方各地获得财货，寻找敢于直谏的人来做官吏，治理众多的事情，努力做到和谐而不是一样。只是一种声音完全没有听头，只是一种颜色完全没有文采，只是一种味道就不能成为美味，只是一种事物便无法进行衡量比较。周幽王却要抛弃这种和谐的法规，专门喜欢一样。上天夺取了他的聪明，如果想不衰败，会吗？

“虢石父是一个善于挑拨离间、巴结奉承的人，幽王要立他为卿士，这是专门喜欢一样；丢弃了聘娶的王后而立内妾褒姒，是喜欢没有见识的人；把侏儒、驼背留在身边取乐，这是接近愚顽昏暗的人；使周朝的法制不明确，听女人的话做事，这是任用挑拨是非、奸邪的人；不任用卿士，宠幸任用佞幸的人，是行为不好。这些事情，全部不能够长久的。并且周宣王时有一首童谣说：‘卖山桑木弓、箕草箭袋的人，要灭亡周朝。’当时宣王听了后，遇到这种器物有一对夫妇在卖，就派人把他们捉来杀掉。王府里有小妾生了个女孩但不是周王的孩子，她由于害怕而丢弃了女婴。那对夫妻捡到了女婴，躲藏到了褒国。上天使这件事出现已经很长时间了，又如何能够改变它呢？

“《周书·训语》上说：‘夏朝衰败的时候，褒国的神化作两条龙，会聚于王庭，说道：“我们二位君王是褒国的。”夏王占卜问是杀死、放走或是留下它们，全部不吉利。占卜请把龙的唾液保存起来，结果很吉利。于是就摆设玉帛，用简策书写告诉龙，龙跑了而唾液依然在，就把它用柜子贮藏起来，在郊外祭祀它。’经过商代、周代，全没有打开过。直到周厉王末年，打开来看，唾液流到了庭前，消除不掉。周王叫妇人不穿裤子欢叫呼喊，唾液形成了一只黑鼋，进入了王府。王府里有一个童妾还没有换牙，碰上了它，到十五岁的时候她就怀孕了，在宣王时生了婴儿。没有丈夫但生了孩子，她因为害怕就抛弃了婴儿。

卖弓和箭袋的一对夫妻正在路上被追杀，他们可怜那女婴儿夜里啼哭，就捡了她躲避起来，逃到了褒国，这个女孩就是褒姒。褒国国君褒姁犯了罪，便把褒姒献给了周王，周王就赦免了褒姁，而且十分宠爱褒姒，立她为王后生了伯服。上天降生这个灾祸已经很久，它的毒害非常大了，将要趁周王失德而降下灾难。毒性越长久醇厚，害人就越快。申国、缯国和西戎刚好强盛，周王室正混乱不安，幽王还要肆意妄为，要不衰亡不是很难吗？

幽王想要杀了太子宜臼，改立伯服，一定要求申国交出太子，申国如果不交，幽王肯定会去讨伐申国。假如讨伐申国，缯国和西戎就会联合起来进攻周幽王，周王朝就不保了。缯国与西戎正准备报答申国，申国、吕国正强大，它们深爱太子也是可以猜到的。幽王的军队进攻申国，它们去援助申国也是必然的。幽王心中恼怒了，虢公服从了，周朝的存在不出三年了。您假如想逃避这场灾祸，要尽快考虑好逃亡的地方，到祸患来了才想办法，估计就来不及了！”

桓公说：“假如周朝衰败的话，各个姬姓的诸侯中哪个会强盛？”史伯回答说：“我听说，周武王的确发扬了周文王的功德，文王的福祚完了，估计是武王继承吧！武王的儿子，应侯和韩侯已经没有了，应该是晋国吧！晋国地处险要的地方，它的邻国都是小国，假如加上修行德政，可以大大扩大疆土。”桓公说：“姜姓和嬴姓诸侯中哪个会强盛？”史伯回答说：“国土广大并且有德的国家差不多都能强盛，秦仲和齐侯，是姜姓、嬴姓中的俊杰，全是大国，估计他们该兴盛吧。”桓公听了非常高兴，所以就向东寄放妻儿和财货，虢国、郐国接受了，十邑全部有桓公保存东西的地方。

平王之末秦晋齐楚代兴

【原文】

幽王八年而桓公为司徒，九年而王室始骚①，十一年而毙。及平王末，而秦、晋、齐、楚代兴，秦景、襄于是乎取周土，晋文侯于是乎定天子，齐庄、僖于是乎小伯，楚蚡冒于是乎始启濮。

【注释】

①骚：动乱。

【译文】

周幽王在位八年的时候，郑桓公担任司徒，九年周王室开始发生动乱，十一年周幽王和郑桓公都去世了。到了平王末年的时候，秦国、晋国、齐国、楚国更加兴盛，秦庄公、秦襄公占取了周王室的领土，同时晋文侯安定了周平王，齐庄公、齐僖公成为这一时期诸侯中小的霸主，楚王蚡冒开辟了南蛮的濮地。

楚语

申叔时论傅太子之道

【原文】

庄王使士亹傅太子箴，辞曰："臣不才，无能益[①]焉。"王曰："赖子之善善之也。"对曰："夫善在太子，太子欲善，善人将至；若不欲善，善则不用。故尧有丹朱，舜有商均，启有五观，汤有太甲，文王有管、蔡。是五王者，皆有元德也，而有奸子。夫岂不欲其善，不能故也。若民烦，可教训。蛮、夷、戎、狄，其不宾[②]也久矣，中国所不能用也。"王卒使傅之。

问于申叔时，叔时曰："教之春秋，而为之耸[③]善而抑恶焉，以戒劝其心；教之世，而为之昭明德而废幽昏焉，以休惧其动；教之诗，而为之导广显德，以耀明其志；教之礼，使知上下之则；教之乐，以疏其秽而镇其浮；教之令，使访[④]物官；教之语，使明其德，而知先王之务用明德于民也；教之故志，使知废兴者而戒惧焉；教之训典，使知族类，行比义焉。

"若是而不从，动而不悛[⑤]，则文咏物以行之，求贤良以翼之。悛而不摄，则身勤之，多训典刑以纳之，务慎惇笃以固之。摄而不彻，则明施舍以导之忠，明久长以导之信，明度量以导之义，明等级以导之礼，明恭俭以导之孝，明敬戒以导之事，明慈爱以导之仁，明昭利以导之文，明除害以导之武，明精意以导之罚，明正德以导之赏，明齐肃以耀之临。若是而不济，不可为也。

“且夫诵诗以辅相之，威仪以先后之，体貌以左右之，明行以宣[6]翼之，制节义以动行之，恭敬以临监之，勤勉以劝之，孝顺以纳之，忠信以发之，德音以扬之，教备而不从者，非人也。其可兴乎！夫子践位则退，自退则敬，否则赧。”

【注释】

①益：增益，帮助。

②宾：宾服，顺服。

③耸：扬。

④访：了解。

⑤悛（quān）：悔改。

⑥宣：全面。

【译文】

楚庄王派遣士亹教导太子箴，士亹辞谢说：“我没有足够的才能，不能帮助到太子。”庄王说：“靠您的德才可以使他变好。”士亹回答说：“能否变好关键在于太子，太子想好，有德才的人就会来；假如太子不想好，有德才的人教导他也不会听。因此尧有丹朱，舜有商均，启有五观，商汤有太甲，周文王有管叔、蔡叔那样的不肖子孙。这五个君王，都有大德，却有不肖的子孙。难道他们不想让自己的子孙学好，那是因为他们的子孙自己不想好。假如百姓纷乱，就可以教育训导他们。蛮、夷、戎、狄等少数民族，他们不顺服已经很长时间，中原国家并不能使他们顺从。”庄王最后还是让士亹教导太子。

士亹询问申叔时，申叔时说：“用历史去教育他，能够使他懂得褒扬善行贬抑邪恶，从而勉励他的心；用先王的世系来教育他，从此使他知道有德行的人能声名显扬，昏庸的人会被废黜，从而去鼓励和约束他的行为；用诗歌去教育他，对他宣扬先王的美德，去引导他的志向；用礼仪去教育他，让他知道尊卑的法度；可以用音乐教育他，去洗涤他身上的污秽，使他稳重不轻浮；用法令来教育他，让他明白百官的职事；要用治国的言论教育他，使得他能够发扬美德，知道先王是以德对待百姓；用古书的记载教育他，让他懂得历代成败兴衰的道理，这能够引起他的警惕；还要用先王的训典教育他，让他明白宗族的发展和繁衍，使他的行为能够遵守道义。

“假如这样教导他还不听从，举止错误而不改正，就用比喻托物讽谏来劝导他，寻找贤良之士来辅佐他。改正了但不稳固，那就用实际行动来带动他，经常用先王之法来教导他就会使他接受，努力审慎地用谦厚的品德来巩固他。稳固了却不明白，那就阐明推己及人的道理，指导他讲忠恕；讲明白如何可以使国家长久的道理，引导他要讲诚信；阐明度量关系上要因人而异，引导他做事寻求好的方法；阐明上下等级的制度，引导他遵循法纪；阐明谦恭克俭的道理，引导他对亲人孝敬；阐明恭敬警戒的原则，指导他做事能够成功；阐明要用慈爱之心待人，引导他要有仁爱之心；阐明要做到利人利物，引导他拥有文德；阐明要铲恶除暴，引导他要有武德之心；阐明办案要明察秋毫，引导他慎加惩罚；阐明待人要清正廉洁，引导他正确赏赐；阐明做事要用心严肃，使他明于处事。如果这样教导还成功不了，那就不能做他的老师了。

“诵读诗歌来辅佐他，用礼仪去帮助他，以礼相待影响他，用自身行动来引导他，制定制度来约束他，端庄公正地监督他，殷勤恳切地鼓励他，把孝顺之义教给他，用忠诚信义启发他，用好的声誉来激励他，这样全方面教导还不听从的话，那就不是一个能够教育好的人了。那样还可以教养成人吗？那太子登位您就引退，自己引退就显示出自重，否则就会经常感到忧惧。”

伍举论台美而楚殆

【原文】

灵王为章华之台，与伍举升焉，曰：“台美夫！”对曰：“臣闻国君服宠以为美，安民以为乐，听德以为聪，致远以为明。不闻其以土木之崇高、彤[1]镂为美，而以金石匏竹之昌大、嚣庶为乐；不闻其以观大、视侈、淫色以为明，而以察清浊为聪。

“先君庄王为匏居之台，高不过望国氛[2]，大不过容宴豆[3]，木不妨守备，用不烦官府，民不废时务，官不易朝常。问谁宴焉，则宋公、郑伯；问谁相礼，则华元、驷騑；问谁赞事，则陈侯、蔡侯、许男、顿子，其大夫侍之。先君以是除乱克敌，而无恶于诸侯。今君为此台也，国民罢焉，财用尽焉，年谷败焉，百官烦焉，举国留之，数年乃成。愿得诸侯与始升焉，诸侯皆距无有至者。而后使太宰启疆请于鲁侯，惧之以蜀之役，而仅得以来。使富都那竖赞焉，而使长鬣之士相焉，臣不知其美也。

“夫美也者，上下、内外、小大、远近皆无害焉，故曰美。若于目观则美，缩于财用则匮，是聚民利以自封而瘠民[4]也，胡美之为？夫君国者，将民之与处；民实瘠矣，君安得肥？且夫私欲弘侈，则德义鲜少[5]；德义不行，则迩者骚离而远者距违。天子之贵也，唯其以公侯为官正，而以伯子男为师旅。其有美名也，唯其施令德于远近，而小大安之也。若敛民利以成其私欲，使民蒿焉忘其安乐，而有远心，其为恶也甚矣，安用目观？

“故先王之为台榭也，榭不过讲军实[⑥]，台不过望氛祥。故榭度于大卒之居，台度于临观之高。其所不夺穑地，其为不匮财用，其事不烦官业，其日不废时务，瘠硗之地，于是乎为之；城守之木，于是乎用之；官僚之暇[⑦]，于是乎临之；四时之隙，于是乎成之。故《周诗》曰：‘经始灵台，经之营之。庶民攻之，不日成之。经始勿亟，庶民子来。王在灵囿，麀鹿攸伏。’夫为台榭，将以教民利也，不知其以匮之也。若君谓此台美而为之正，楚其殆矣！”

【注释】

①彤：涂丹漆。

②氛：气象，情势。

③豆：盛食品的高脚盘。

④民：百姓。

⑤鲜少：很少。

⑥军实：军事。

⑦暇：闲暇。

【译文】

楚灵王建成了章华台，便与伍举一起上去观看，说：“这高台好美啊！”伍举回答说：“我曾听说国君把有才德受到尊崇当作一种美，把安抚百姓当作一种快乐，把能顺从有德的人当作听觉敏锐，把能招徕远方的人当作贤明。

但没听说过把土木建筑的高大雕梁画栋看作是美，把钟磬笙箫等演奏乐队的盛大鸣唱当作快乐；没有听说把欣赏的场面大、看到的东西奢侈、沉迷于姿色当作眼睛明亮，把能够分辨音乐的清浊当成耳朵敏锐。

“我们先君楚庄王建筑的匏居台，高度不过能够观望国家吉凶的气象，台大不过能够容纳宴会的杯盘，用的材料不占用国家的守备，用的钱不增加官府的负担，百姓不耽误务农，官吏不扰乱日常的政务。说到宴请的都有谁，是宋公和郑伯；说到有谁指引朝见的礼节，是华元和驷騑；说到谁能辅佐宴会事务，是陈侯、蔡侯、许男和顿国国君，他们的大夫都各自陪侍着自己的国君。先君就靠这样避免战乱，击败敌国，而且不得罪诸侯。现在您建筑了这高台，让国家和百姓疲惫不堪，国家的钱都用光了，收成不好，百官烦劳，举国上下都来建造它，花了好几年才建成。希望有诸侯能够庆贺，和他们一起第一次登上高台，但是诸侯们都拒绝，没有一个来的。后来派太宰去请鲁侯，并且用蜀地之战威胁他，他才勉强能够来。又叫俊俏的少年辅佐宴会事务，长鬓美须的士人导引朝见，我不明白这有什么美。

“所谓的美，是指对上下、内外、大小、远近都没有伤害，所以才叫美。如果仅用眼睛看起来是美的，钱却用没有了，这是搜刮民财使自己富有却让百姓贫困，这有什么美呢？当国君的人，要与百姓好好相处，百姓贫穷了，国君怎么能富裕呢？如果私欲太大太多，就会使德义减少；德义实行不了，就会使人众叛亲离，使人抗拒违命。天子的尊贵，大多是因为他能够把公、侯当作官长，让伯、子、男率领军队。他能够获得美名，正是因为他把美德给远近的人，使大小国家能够安定。如果搜刮百姓的钱来满足自己的私欲，使百姓贫穷失去安乐从而产生造反之心，那麻烦就大了，眼睛看着好有什么呢？

“因此先王建造台榭，榭只是用来讲习军事，台只是用来观望气象吉凶。所以榭只要有足够检阅士卒，台只要有能够观望气象吉凶的高度就足矣了。它所在的地方不占用农田，它的建造不使国家的财产匮乏，它的工作不扰乱正常的政务，它占用的时间不耽误种地的时间。在贫瘠的土地上建造它；用建造城防剩余的木料建造它；要让官吏在闲暇的时间去指导；在四季农闲的时候建成它。所以《周诗》上说：‘开始筹建灵台，经营它，建造它。百姓都来修建它，没几天就完成了。开始设计建造并不急迫，百姓像子女听从父母召唤一样都来了。周王来到了园林，母鹿悠然地躺在地上。’建造台榭，是为了让百姓得益，没听说过是让百姓更贫穷。如果您觉得这高台很美，事情没有做错，那么楚国可就危险了。”

子常问蓄货聚马斗且论其必亡

【原文】

斗且廷见令尹子常，子常与之语，问蓄货聚[1]马。归以语其弟，曰：“楚其亡乎！不然，令尹其不免乎。吾见令尹，令尹问蓄聚积实，如饿豺狼焉，殆必亡者也。

“夫古者聚货不妨民衣食之利，聚马不妨民之财用，国马足以行军，公马足以称赋，不是过也。公货足以宾献，家货足以共用，不是过也。夫货、马邮则阙于民，民多阙则有离叛之心，将何以封矣。

“昔斗子文三舍[2]令尹，无一日之积，恤民之故也。

成王闻子文之朝不及夕也，于是乎每朝设脯一束、糗一筐，以羞③子文。至于今秩之。成王每出子文之禄，必逃，王止而后复。人谓子文曰：‘人生求富，而子逃之，何也？’对曰：‘夫从政者，以庇民也。民多旷者，而我取富焉，是勤民以自封也，死无日矣。我逃死，非逃富也。’故庄王之世，灭若敖氏，唯子文之后在，至于今处郧，为楚良臣。是不先恤民而后己之富乎？

“今子常，先大夫之后也，而相楚君无令名④于四方。民之羸馁，日已甚矣。四境盈垒，道殣相望，盗贼司目，民无所放。是之不恤，而蓄聚不厌，其速怨于民多矣。积货滋多，蓄怨滋厚，不亡何待。

“夫民心之愠⑤也，若防大川焉，溃而所犯必大矣。子常其能贤于成、灵乎？成不礼于穆，愿食熊蹯，不获而死。灵不顾于民，一国弃之，如遗迹焉。子常为政，而无礼不顾甚于成、灵，其独何力以待之！”期年，乃有柏举之战，子常奔郑，昭王奔随。

【注释】

①聚：聚敛。

②舍：放弃。

③羞：赠送，送给。

④令名：好名声。

⑤愠：愤怒。

【译文】

斗且在朝廷见到了令尹子常，子常和他说话，问他怎么样才能聚敛财宝和马匹。斗且回家告诉了他的弟弟，说：“楚国应该要灭亡了吧！假如不是这样，令尹也许不免于难。我看到了令尹，令尹问怎么样积聚财宝，好像饥饿的狼一样，恐怕是一定要灭亡的。

“古时候积聚钱财不伤害百姓衣食的利益，聚敛马匹不损害百姓的钱财，国家征收的马匹能够使行军所用，公卿的戎马与兵赋应该相称，不能超过这个限度。公卿的钱财足够馈赠贡献所用，大夫家的钱财能够自己使用，不超过这个限度，钱财和马匹过多百姓就会变穷，百姓过于穷困就会有造反之心，那用什么来立国呢？

“斗子文曾经三次辞去令尹的职务，家里连一天的粮食都没有，是为了体恤百姓。楚成王听说子文吃了早饭连晚饭都没有，每逢朝见时就准备一些肉干和粮食，送给子文。一直到现在都成了对待令尹的惯例。成王每次给子文分发俸禄，子文一定会逃避，等到成王不那样做了，他才愿意回来任职。有人对子文说：‘人们都追求财富，您为什么逃避它呢？’子文告诉他们说：‘当官的人，是为了保护人民的。百姓都很贫困，我自己取得富贵，这是劳苦了百姓而使自己获得财富，不知道哪天就会遭殃了。我这样做是在逃避死亡，不是逃避富贵。’所以楚庄王在位的时候，灭掉了若敖氏家族，只有子文的后代还在，一直到现在还住在郧地，做楚国的良臣。这不是首先体恤百姓然后自己才富有吗？

“现在子常，是先大夫的后代，辅佐楚国国君却在四方没有好名声。百姓饥瘦挨饿，一天比一天更厉害了。四周边境布满了堡垒，道路上饿死的人到处可见，盗贼张目窥伺，民众无所依靠。他不去顾恤这些，反而聚敛不已，招致民众怨恨。积累的财货越多，蓄积的怨恨也就越深，不灭亡还等待什么？

“百姓心中的愤怒，就像堤防大河一样，一旦崩溃了破坏一定很大。子常的下场能比成王和灵王好吗？成王对穆王无礼，临死时想吃熊掌，都没有得到就死了。灵王不顾百姓死活，全国的人都抛弃了他，就像丢下脚印一样。子常执政，他对别人的无礼和不顾百姓死活，比成王、灵王还厉害，他独自一个人有什么力量来抵御呢？”一年以后，就发生了柏举之战，子常逃亡到了郑国，楚昭王逃到随国。

王孙圉论国之宝

【原文】

王孙圉聘于晋，定公飨之，赵简子鸣玉以相，问于王孙圉曰：“楚之白珩犹在乎？”对曰：“然。”简子曰：“其为宝也，几何矣。”曰：“未尝为宝。楚之所宝者，曰观射父，能作训辞，以行事于诸侯，使无以寡君为口实。又有左史倚相，能道训典，以叙百物，以朝夕献善败于寡君，使寡君无忘先王之业；又能上下说于鬼神，顺道其欲恶，使神无有怨痛于楚国。又有薮曰云连徒洲，金木竹箭之所生也。龟、珠、角、齿、皮、革、羽、毛，所以备赋，以戒不虞[1]者也。所以共币帛，以宾享于诸侯者也。若诸侯之好币具，而导之以训辞，有不虞之备，而皇神相之，寡君其可以免罪于诸侯，而国民保焉。此楚国之宝也。若夫白珩，先王之玩也，何宝之焉？

“圉闻国之宝六而已。明王圣人能制议百物，以辅相国家，则宝之；玉足以庇荫嘉谷，使无水旱之灾，则宝之；龟足以宪[2]臧否，则宝之；珠足以御火灾，则宝之；金足以御兵乱，则宝之；山林薮泽足以备财用，则宝之。若夫哗嚣之美，楚虽蛮夷，不能宝也。”

【注释】

①不虞：意料之外，没有考虑到。

②宪:判定。

【译文】

王孙圉去晋国访问，晋定公设宴款待他，赵简子佩带玉饰作为傧相，问王孙圉说：“楚国的白珩还在吗？”王孙圉回答说：“在。”简子说：“它作为楚国的珍宝，很长时间了。”王孙圉说：“楚国没有把它作为珍宝。楚国所视为珍宝的是观射父，他善于言辞，在诸侯国之间往来办事，使得诸侯无法抓到我们国君的话柄。还有位左史倚相，能叙述古代典籍，说明各种事物，每日向国君提供成败得失的教训，让国君不会忘记先王的政绩，又可以取悦鬼神，迎合它们的喜好，因此神灵对楚国没有怨恨。还有个大泽叫云连徒洲，是金、木、竹、箭出产的地方。还有龟甲、珍珠、兽角、象牙、虎豹皮、犀牛皮、鸟羽和牦牛尾，这些是用来提供兵器，以防急用，还可以提供币帛，可以用来招待诸侯。如果诸侯喜欢这些东西，而且可以用辞令来疏导，可以以防不测，又能得到天神保佑，所以我们国君就不会得罪诸侯，因此国家和百姓都会得到保护。这些才是楚国的珍宝。至于玉珩，那不过是先王的玩物，有什么可宝贵的呢？

“我听说国家的珍宝只有六种而已。聪明的君王和贤明之人可以判断各种事物，用来辅佐国家，那就把他们当作珍宝；祭祀的玉器足够庇荫五谷，能够使其没有水旱灾害，那就把它当作珍宝；龟甲足够表明善恶凶吉，那就把它当作珍宝；珍珠足够防火灾，那就把它当作珍宝；金属足够抵御兵乱，那就把它当作珍宝；山林湖泽足够提供财物器用，那就把它当作珍宝。至于可以发出声响的美玉，楚国虽然被称为蛮夷之邦，但也不会把它当作珍宝啊。”

吴语

越王勾践命诸稽郢行成于吴

【原文】

吴王夫差起师伐越，越王勾践起师逆之。大夫种乃献谋曰："夫吴之与越，唯天所授，王其无庸战。夫申胥、华登简服吴国之士于甲兵，而未尝有所挫也。夫一人善射，百夫决拾，胜未可成也。夫谋必素见成事焉，而后履之，不可以授命。王不如设戎，约辞行成，以喜其民，以广侈吴王之心。吾以卜之于天，天若弃吴，必许吾成而不吾足也，将必宽然有伯诸侯之心焉。既罢弊其民，而天夺之食，安受其烬，乃无有命矣。"

越王许诺，乃命诸稽郢行成于吴，曰："寡君勾践使下臣郢不敢显然布币行礼，敢私告于下执事曰：昔者越国见祸，得罪于天王。天王亲趋玉趾，以心孤勾践，而又宥赦[①]之。君王之于越也，繄[②]起死人而肉白骨也。孤不敢忘天灾，其敢忘君王之大赐乎！今勾践申祸无良，草鄙之人，敢忘天王之大德，而思边垂之小怨，以重得罪于下执事？勾践用帅二三之老，亲委重罪，顿颡于边。

"今君王不察，盛怒属兵，将残伐越国。越国固贡献之邑也，君王不以鞭箠使之，而辱军士使寇令焉。勾践请盟：一介嫡女，执箕帚以晐姓于王宫；一介嫡男，奉槃匜以随诸御；春秋贡献，不解于王府。天王岂辱裁之？亦征诸侯之礼也。

"夫谚曰：'狐埋之而狐搰[③]之，是以无成功。'今天王既封植越国，以明闻于天下，而又刈亡之，是天王之无成劳也。虽四方之诸侯，则何实以事吴？敢使下臣尽辞，唯天王秉利度义焉！”

【注释】

①宥赦：宽恕赦免。

②繄（yī）：是。

③搰（hú）：掘出。

【译文】

吴王夫差派兵进攻越国，越王勾践起兵抵抗。文种向勾践献计说：“我们两国的命运，就看天意决定，大王您不用和它开战。申胥和华登选拔训练吴国的青年，把他们组编成军队，还没有被打败过。如果一个人善于射箭，那就会有一百个人仿效，吴国拥有良将指挥，我们没有全胜的把握。策划一件事，就肯定要预测最终的结局，然后再去做，不可以拿生命冒险。您不如加紧戒备，同时以谦辞卑语向对方求和，让吴国的百姓高兴，从而使吴王的野心膨胀。我先卜问，如果上天要灭掉吴国，就会让吴国同意求和并且一定不会满足，还会进一步扩大称霸诸侯的野心。等到吴国百姓疲惫，天灾降临，那时我们就能安稳地收拾它了，那时吴国没有了上天的眷顾。”

越王答应了，于是就派诸稽郢去求和，说：“国君让我来，不敢公开献上币帛表达敬意，只好私下对贵国的办事人员说：过去越国遭受祸患，对天王多有得罪。天王带兵，本打算灭掉勾践，却又宽恕了他。天王对于我们越国的恩德，如同起死回生，让白骨重新长肉一样。勾践不敢忘记上天降下的灾祸，又哪里敢忘记天王的恩德！勾践现在遭受灾祸，没有善良的仁德，草野鄙贱之人，怎么敢忘记天王的恩德，而去计较边境上的小事，以致再次得罪天王的人呢？勾践特地带领几个老家臣，亲自认错，在边境叩头请罪。

“现在天王没有仔细观察，在盛怒之下就调集军队，想要狠狠地攻打越国。越国本是给吴国纳贡的城邑，天王用鞭子抽打它就行了，何必起兵屈尊来侵犯呢？勾践请求结盟：献上一个嫡女，拿着畚箕和扫帚在王宫里侍奉您；送上一个嫡子，捧着盘匜与仆人一起伺候您；春秋两个季节的贡品，绝不会懈怠。天王又何必屈驾来攻打越国呢？您这等于是天子向诸侯进行征讨啊。

“谚语说：‘狐狸把东西埋了，又把它挖出来，因而没有成功。’现在天王既然已经扶植越国，以圣明闻名天下，现在又要消灭它，天王对越国的扶植就等于徒劳无功。以后即便四方的诸侯想侍奉吴国，他们又有什么好处呢？我冒昧地把话说明白，只希望天王根据利弊考虑，再做决定。”

吴王夫差与越荒成不盟

【原文】

吴王夫差乃告诸大夫曰：“孤将有大志于齐，吾将许越成，而无拂吾虑。若越既改，吾又何求？若其不改，反行，吾振旅焉。”申胥谏曰：“不可许也。夫越非实忠心好吴也，又非慑畏吾兵甲之强也。大夫种勇而善谋，将还玩吴国于股掌之上，以得其志。夫固知君王之盖威以好胜也，故婉约其辞，以从逸王志，使淫乐于诸夏之国，以自伤也。使吾甲兵钝弊，民人离落，而日以憔悴，然后安受吾烬。夫越王好信以爱民，四方归之，年谷时熟，日长炎炎。及吾犹可以战也，为虺①弗摧，为蛇将若何？”

吴王曰：“大夫奚隆②于越，越曾足以为大虞乎？若无越，则吾何以春秋曜吾军士？”乃许之成。将盟，越王又使诸稽郢辞曰：“以盟为有益乎？前盟口血未干，足以结信矣。以盟为无益乎？君王舍甲兵之威以临使之，而胡重于鬼神而自轻也？”吴王乃许之，荒成不盟。

【注释】

①虺（huǐ）：小蛇。

②隆：夸大。

【译文】

吴王夫差于是对大夫们说：“我要开始实现征服齐国的志向，因此我准备答应越国讲和的请求，你们不要忤逆我的意愿。如果越国已经改好，我对它还有什么要求？如果越国不改正，从齐国回来后，我还会整顿军队教训它。”伍子胥劝告说：“不可以答应求和。越国不是真心的，也不是害怕我们军队强大。越国的大夫文种有勇有谋，他是想戏弄吴国，然后实现其野心。他利用您崇尚武力，好胜心强，因此用好听的话来放纵您的意志，让您留恋中原各国的安乐，然后自取败亡。让我们的军队疲惫，消耗兵器，百姓逃亡，国力日渐衰落，然后就可以安稳地收拾我们的残局。越王重信爱民，四方的人都归附于他。越国每年都丰收，国势昌盛。现在我们还有力量就要赶快战胜它，就像一条小蛇，现在不打死它，以后成了大蛇要怎么办？”

吴王说：“你何必把越国讲得那么强大，越国难道会成为我们的心腹大患吗？如果越国不存在，那么到阅兵时，我要跟谁炫耀军威呢？”于是便答应了求和。在两国要举行盟誓时，越王又派诸稽郢推辞说：“你们认为盟誓有用吗？以前盟誓时的血迹还没有干，就足够表示诚信了。你们觉得盟誓没有用吗？君王放弃武力的威胁，亲自来役使我们就可以了，何必相信鬼神而看轻自己的力量呢？”于是吴王答应口头协议并没有举行正式的盟誓。

夫差伐齐不听申胥之谏

【原文】

吴王夫差既许越成，乃大戒[①]师徒，将以伐齐。申胥进谏曰：“昔天以越赐吴，而王弗受。夫天命有反，今越王勾践恐惧而改其谋，舍其愆令，轻其征赋，施民所善，去民所恶，身自约也，裕其众庶，其民殷众，以多甲兵。越之在吴，犹人之有腹心之疾也。夫越王之不忘败吴，于其心也侙然[②]，服士以伺吾闲。今王非越是图，而齐、鲁以为忧。夫齐、鲁譬诸疾，疥癣也，岂能涉江、淮而与我争此地哉？将必越实有吴土。

“王其盍亦鉴于人，无鉴于水。昔楚灵王不君，其臣箴谏以不入。乃筑台于章华之上，阙为石郭，陂汉，以象帝舜。罢弊楚国，以闲陈、蔡。不修方城之内，逾诸夏而图东国，三岁于沮、汾以服吴、越。其民不忍饥劳之殃，三军叛王于乾溪。王亲独行，屏营仿偟于山林之中，三日乃见其涓人畴。王呼之曰：‘余不食三日矣。”畴趋而进，王枕其股以寝于地。王寐，畴枕王以墣而去之。王觉而无见也，乃匍匐将入于棘闱，棘闱不纳，乃入芋尹申亥氏焉。王缢，申亥负王以归，而土埋之其室。此志也，岂遽[3]忘于诸侯之耳乎？

“今王既变鲧、禹之功，而高高下下，以罢民于姑苏。天夺吾食，都鄙荐饥。今王将很[4]天而伐齐，夫吴民离矣，体有所倾，譬如群兽然，一个负矢，将百群皆奔，王其无方收也。越人必来袭我，王虽悔之，其犹有及乎？”

王弗听。十二年，遂伐齐。齐人与战于艾陵，齐师败绩，吴人有功。

【注释】

①戒：整顿。

②伬（chì）然：忧愁的样子，惶恐不安的样子。

③遽（jù）：马上。

④很：违背。

【译文】

吴王夫差答应越国的求和后，就大力整顿军队，要攻打齐国。伍子胥进谏说：“以前上天把越国送给吴国，你不要。天命也会反复无常，如今越王改变了他的谋略，废除错误的法令，减少税赋，实施百姓喜欢的，废除民众厌恶的，自己也很节俭，让百姓富起来。现在越国百姓数量庞大，足够充实军队。越国对于吴国，如同心腹之患。越王没有忘记过去的耻辱一直耿耿于心，他让士兵每天操练，等待时机报复。如今您不去对付越国，却操心齐国和鲁国。把齐国和鲁国比作疾病的话，就像是疥癣一类的小病，难道它们会渡过长江和淮河来与我们抢夺土地吗？但越国一定会夺占吴国的土地。

“您为何不以人为鉴，不要仅仅以水为镜子。以前楚灵王不行君道，所有人的劝谏都听不进去。他在章华建筑台榭，凿石为椁，引用汉水，想仿效舜的陵墓。楚国因此疲惫不堪，他却还想着消灭陈国和蔡国。他不管理朝政，却想越过邻国征服东方的诸侯，他用了三年才渡过沮河和汾河，想要征服吴越两国。他的百姓再也忍受不了，全军在乾溪发动兵变。楚灵王只好孤身潜逃，惶惶不安地流窜于山林中，过了三天才碰见一个叫畴的侍卫。楚灵王向他求救说：‘我已经三天没有吃饭了。’畴快步走到灵王面前，灵王在地上枕着他的腿睡着了。灵王睡着以后，畴用土块代替腿转身离去。灵王醒后见不着畴，就自己爬着想要进棘城的大门，城内的人不接纳他，后来被芋尹申亥收容。后来灵王上吊自杀，申亥背着灵王的尸体回到家里，用土把他埋在屋里。这些事，难道这么快就被诸侯们遗忘了吗？

“如今您改变了当年鲧和禹治水的功业，筑台修池以供享乐，使得百姓为了修建姑苏台而疲惫不堪。上天降下灾荒夺去了食粮，都城以外连年饥荒。您违背了天意要去攻打齐国，吴国的百姓都要离弃你了。国家将要倾覆，就像一群野兽一样，一只野兽被箭射中，整群野兽都会四处逃离，您还怎么控制局面呢。越国人一定会来攻打我们，到时即使后悔，也来不及了，不是吗？”

吴王不听劝谏。他在执政第十二年的时候攻打齐国。齐国与吴国军队在艾陵交战，齐军战败，吴国取得暂时的胜利。

申胥自杀

【原文】

吴王还自伐齐，乃讯申胥曰：“昔吾先王体德明圣，达于上帝，譬如农夫作耦，以刈杀四方之蓬蒿，以立名于荆，此则大夫之力也。今大夫老，而又不自安恬逸，而处以念恶，出则罪吾众，挠乱百度，以妖孽吴国。今天降衷于吴，齐师受服。孤岂敢自多[①]，先王之钟鼓，寔式灵之。敢告于大夫。”

申胥释剑而对曰：“昔吾先王世有辅弼之臣，以能遂疑计恶，以不陷于大难。今王播弃黎老，而孩童[②]焉比谋，曰：‘余令而不违。’夫不违，乃违也。夫不违，亡之阶也。夫天之所弃，必骤近其小喜，而远其大忧。王若不得志于齐，而以觉寤王心，而吴国犹世。吾先君得之也，必有以取之；其亡之也，亦有以弃之。用能援持盈以没，而骤救倾以时。今王无以取之，而天禄亟至，是吴命之短也。员不忍称疾辟易，以见王之亲为越之擒也。员请先死。”遂自杀。

将死，曰：“以悬吾目于东门，以见越之入，吴国之亡也。”王愠曰：“孤不使大夫得有见也。”乃使取申胥之尸，盛以鸱夷，而投之于江[3]。

【注释】

①多：夸奖，夸耀。

②孩童：指年轻人。

③江：指长江。

【译文】

吴王伐齐胜利归来后，责问伍子胥说：“以前我的先王德高圣明，知道上天的旨意，就像农夫在一起耕作一样，和你一起割除我国四方的蒿草，战胜了楚国并在那里立下了威名，这是你的功劳。现在你老了，却又不愿意过闲适的生活，在家尽想些坏主意，外出使我的部众受到苦难，扰乱法度，来加害吴国。现在上天保佑吴国，使齐国归顺了。我怎么敢自夸，这是先王的军队得到神灵佑助的原因。我冒昧把这个消息告诉你。

伍子胥卸下佩剑回答说：“以前我们先王一直有辅佐的贤臣，用来解决疑难，权衡得失，因此没有陷入大难。现在你抛弃老臣，去和幼稚的年轻人共同商讨国策，说：‘我的命令不能违背。’所谓的不违背，刚好是对天意的违背。这样的不违背，正是导致失败的阶梯啊。上天要抛弃谁，一定会在眼前先给它小小的欢喜，而把大的祸患留在后面。如果你伐齐不顺利，内心会有所觉悟，这样吴国才不会灭亡。我们先王只要取得成就，一定总结经验；凡是遇到失败，自然会摒弃错误。凭借有才能的人辅佐才能保护国家，及时挽回危局。如今你没有取得成功的条件，而上天赐给你的福禄却不断，说明吴国的命运已经很短了。我不忍心称病躲避，看到你被越国人擒住，我只能请求先死！”于是就自杀了。

临死前，伍子胥说：“把我的眼睛悬挂在东城门门上，让我看到越国侵犯，吴国败亡。”吴王愤怒地说：“我不会让他有看到这一天的机会。”于是派人将伍子胥的尸体装到皮袋当中，抛入长江。

吴晋争长未成勾践袭吴

【原文】

吴王夫差既杀申胥，不稔于岁，乃起师北征。阙[1]为深沟，通于商、鲁之间，北属之沂，西属之济，以会晋公午于黄池。于是越王勾践乃命范蠡、舌庸，率师沿海溯淮以绝吴路。败王子友于姑熊夷。越王勾践乃率中军溯江以袭吴，入其郛，焚其姑苏，徙其大舟。

吴、晋争长未成，边遽乃至，以越乱告。吴王惧，乃合大夫而谋曰：“越为不道，背其齐盟[2]。今吾道路修远，无会而归，与会而先晋，孰利？”王孙雒曰：“夫危事不齿，雒敢先对。二者莫利。无会而归，越闻章矣，民惧而走，远无正就。齐、宋、徐、夷曰：‘吴既败矣！’将夹沟而𢉼我，我无生命矣。会而先晋，晋既执诸侯之柄以临我，将成其志以见天子。吾须[3]之不能，去之不忍。若越闻愈章，吾民恐叛。必会而先之。”

王乃步[④]就王孙雒曰："先之，图之将若何？"王孙雒曰："王其无疑，吾道路悠远，必无有二命，焉可以济事。"王孙雒进，顾揖诸大夫曰："危事不可以为安，死事不可以为生，则无为贵智矣。民之恶死而欲富贵以长没也，与我同。虽然，彼近其国，有迁；我绝虑，无迁。彼岂能与我行此危事也哉？事君勇谋，于此用之。今夕必挑战，以广[⑤]民心。请王励士，以奋其朋势，劝之以高位重畜，备刑戮以辱其不励者，令各轻其死。彼将不战而先我，我既执诸侯之柄，以岁之不获也，无有诛焉，而先罢之，诸侯必说。既而皆入其地，王安挺志，一日惕，一日留，以安步王志。必设以此民也，封于江、淮之间，乃能至于吴。"吴王许诺。

【注释】

①阙：挖掘。

②齐盟：同盟。

③须：等待。

④步：移步。

⑤广：宽，宽慰。

【译文】

吴王夫差派人杀了伍子胥以后，没有等庄稼成熟，就出兵北征。他下令挖掘沟渠，一直通到宋国和鲁国的地界，北面一直到沂水，西面一直到济水，然后与晋定公在黄池这个地方举行盟会。与此同时，越王勾践命令范蠡和舌庸率兵沿海岸上行至淮河，逆流而上去断绝吴军的退路。越军在姑熊夷战胜了王子友。越王勾践率中军逆江而上攻打吴国，攻破国都的外城，烧毁姑苏台，运走吴国的船只。

吴晋两国争夺盟主的事还未见分晓，吴国边境的驿车就到了，报告越国侵犯的消息。吴王非常害怕，便召集大夫商讨对策，说：“越国不讲信用，背弃盟约。现在我们离本国路途遥远，或者不去参加盟会就赶快回国，或者参加盟会，但让晋国当盟主，哪个更加有利？”王孙雒说：“面对危急的事情，不用讲究年龄长幼，我冒昧地在这里回答。我觉得这两种方案都不利。假如不参加盟会就回国，越国的名望就大了，百姓就会因害怕而逃亡，远走他乡而没有立足之处。齐、宋、徐、夷这些国家同样会说：‘吴国已经战败了！’将从沟渠两侧对我们进行攻击，我们肯定没命了。假如参加盟会但让晋国当盟主，晋国取得了诸侯之长的权力后就会居高临下地欺压我们，胸有成竹地带领我们一起朝见周天子。那样的话我们既不会有时间停留，离开又不能被容忍。如果越国听到后更加张狂，我国的百姓恐怕会造反，因此我们必须要参加盟会并且争当盟主。”

吴王走到王孙雒面前问：“想要当上盟主，必须要想个什么办法。”王孙雒回答说：“请君王不能再犹豫，我们回去非常遥远，一定不会有第二条出路，必须赶快决定才能成功。”王孙雒向前走一步，看了四周众大夫并作揖说：“面对危局不能化为平安，在死亡面前不能生存，那就没有智慧。晋国的百姓怕死而希望平安富裕，这一点和我们是一样的。既然这样，晋军离国都近，有退避的余地；我们距离国都遥远，没有退回的可能。晋国怎么会和我们进行危险的比试呢？侍奉君王要有勇有谋，现在就用上了。今天晚上必须要向晋国挑战，去稳住民心。请君王激励将士，鼓舞大家的气势，用官位和财宝来勉励大家，也要准备刑戮来惩治那些不奋力作战的人，让大家都不惧怕。那样晋国一定会不战而把盟主让给我们，我们掌控了诸侯之长的权力后，以年成不好为理由，不必责求诸侯的贡赋，让他们各自回国，诸侯们必定会高兴。等到他们各自回到本国以后，君王便可以安下心，紧一天，慢一天，安安稳稳地实现你回国的目标了。一定要承诺那些出了力的将士，让他们获得江淮一带的封地，如此我们就能安全回到国都了。”吴王夫差同意他的意见。

吴欲与晋战得为盟主

【原文】

吴王昏乃戒，令秣马食士。夜中，乃令服兵擐甲，系马舌，出火灶，陈士卒百人，以为彻行，百行。行头皆官师，拥铎拱稽，建[1]肥胡，奉文犀之渠。十行一嬖大夫，建旌提鼓，挟经秉枹。十旌一将军，载常[2]建鼓，挟经秉枹。万人以为方阵，皆白裳、白旂、素甲、白羽之矰，望之如荼。王亲秉钺，载白旗以中陈而立。左军亦如之，皆赤裳，赤旟、丹甲、朱羽之矰，望之如火。右军亦如之，皆玄裳、玄旗、黑甲、乌羽之矰，望之如墨。为带甲三万，以势攻，鸡鸣乃定。既陈，去晋军一里。昧明，王乃秉枹，亲就鸣钟鼓、丁宁、錞于、振铎，勇怯尽应，三军皆哗钔以振旅，其声动天地。

晋师大骇不出，周军饬垒，乃令董褐请事，曰：“两君偃兵接好，日中为期。今大国越录，而造于弊邑之军垒，敢请乱故。”吴王亲对之曰：“天子有命，周室卑约[3]，贡献莫入，上帝鬼神而不可以告，无姬姓之振也。徒遽来告，孤日夜相继，匍匐就君。君今非王室不平安是忧，亿负晋众庶，不式诸戎、狄、楚、秦；将不长弟，以力征一二兄弟之国。孤欲守吾先君之班爵，进则不敢，退则不可。今会日薄矣，恐事之不集，以为诸侯笑。孤之事君在今日，不得事君亦在今日。为使者之无远也，孤用亲听命于藩篱之外。”

董褐将还，王称左畸曰：“摄少司马兹与王士五人，坐于王前。”乃皆进，自刭于客前以酬客。董褐既致命，乃告赵鞅曰：“臣观吴王之色，类有大忧，小则嬖妾、嫡子死，不则国有大难；大则越入吴。将毒[4]，不可与战。主其许之先，无以待危，然而不可徒许也。”赵鞅许诺。

晋乃令董褐复命曰：“寡君未敢观兵身见，使褐复命曰：‘曩君之言，周室既卑，诸侯失礼于天子，请贞于阳卜[5]，收文、武之诸侯。孤以下密迩于天子，无所逃罪，讯让[6]日至，曰：昔吴伯父不失春秋，必率诸侯以顾在余一人。今伯父有蛮、荆之虞，礼世不续，用命孤礼佐周公，以见我一二兄弟之国，以休君忧。今君掩王东海，以淫名闻于天子，君有短垣，而自逾之，况蛮、荆则何有于周室？夫命圭有命，固曰吴伯，不曰吴王。诸侯是以敢辞。夫诸侯无二君，而周无二王，君若无卑天子，以干其不祥，而曰吴公，孤敢不顺从君命长弟！’许诺。”吴王许诺，乃退就幕而会。吴公先歃，晋侯亚之。吴王既会，越闻愈章，恐齐、宋之为己害也，乃命王孙雒先与勇获帅徒师，以为过宾于宋，以焚其北郛焉而过之。

【注释】

①建：树立。

②常：画有日月的旗子。

③卑约：衰微。

④毒：凶猛，残忍。

⑤阳卜：古人用火烧龟甲以预测祸福。

⑥讯让：责备，询问。

【译文】

吴王夫差于是在黄昏时下令，让士兵吃饱并喂饱战马。半夜时分命令全军穿好铠甲，勒紧马舌，把行军灶里的火搬出来照明，一百名士兵排成一行，一共排成一百行。每行排头的都是军官，抱着大铃，举着木戟，旁边立着旗子，手里持着犀牛皮做的盾牌。每十行由一名下大夫率领，竖着旌旗，扛着战鼓，夹着兵书，拎着鼓槌。一百行由一名将军带领，立着日月旗，架起战鼓，将军夹着兵书，拎着鼓槌。一万人形成一个方阵，都穿着白色的衣服，立着白色的旗帜，身披白色的铠甲，背着白羽毛制作的箭，从远处看像一片白色的茅草花。吴王亲自拿着兵器，旁边立着白色军旗在方阵中间。左军同样像中军这样列阵，但都穿着红色的衣服，立着红色的旗帜，身披红色的铠甲，背着红羽毛制作的箭，从远处看像一片鲜红的火焰。右军同样像中军这样列阵，但都穿着黑色的衣服，立着黑色的旗帜，身披黑色的铠甲，背着黑羽毛制作的箭，从远处看像一片黑色的乌云。左中右三军一共有三万将士，拼命地向前进攻，鸡叫时就摆出阵势，离晋军只有一里路。天还没有亮，吴王就亲自擂鼓，敲响了铜钲、金玦和金铎，三军勇敢的、胆怯的一起响应，一起呐喊，声音震动天地。

晋军非常惊讶，不敢出来迎战，只加强戒备，改善营垒，命令董褐前去问话，说："两国君主商议撤兵和好，以中午作为期限，现在你们违反约定，来到我们的军营外，请问乱了规矩是为什么？"吴王亲自回答说："周天子发布命令，现在王室衰微，没有诸侯进贡，连告祭天地鬼神的东西也缺少，又没有姬姓的本家来援助。有人步行或乘车来通知我这个命令，因此我日夜兼程，赶到晋君这里。现在晋君不为王室的困难担忧，拥有晋国的将士，却不去讨伐藐视王室的戎狄、楚、秦等国，还不尊重长幼的礼节，攻打同姓的国家。我想保住我先君的官位，我不敢超越先君，不能像先君那样我也不愿意。现在盟会的日期已快到了，我害怕事情不成功而被诸侯嘲笑，我是服从于晋君，还是击败晋君当盟主，都在今天决定。你这个使者就离我很近，我将亲自在军营外等待你们的决定。"

董褐准备返回，吴王叫来左部的军吏说："把少司马兹以及五个王士抓来，坐在我面前。"六人于是一起向前，在客使董褐面前自杀以谢罪。董褐回去向晋君复命后，私下对赵鞅说："我观察吴王的脸色，似乎有很大忧虑，从小的方面说可能是他的宠妾或嫡子死了，不然就是国内有叛乱；从大的方面说可能是越国已袭击吴国。被逼到绝境的人将会非常残暴，不能和这样的人作战。你还是答应让他先做盟主，不能冒风险，但不能就这样答应他。"赵鞅同意他的建议。

晋国于是命令董褐去复命说："国君不敢与您交战，也不敢亲自前来，派我来复命说：‘倘若如刚才贵国国君所说，现在周室已经衰微，诸侯大夫们对天子无礼，贵国国君准备以龟甲占卜，恢复周文王、周武王时期诸侯们侍奉天子的义务。我们晋国靠近天子，没有逃避罪责的责任，经常听到天子对我们的责备，说：曾经吴国的先君不失礼，一年四季肯定率领诸侯朝见我。现在的吴国国君被蛮荆威胁，不能继续先君的朝见之礼，因此让我们晋国效劳辅助周太宰，并邀请同姓的兄弟国家朝见天子，消除他的担忧。现在贵国国君的权威非常大，僭越的名声天子已经听说，虽然有礼仪之防，但是贵国国君自己跨越了，更不用说蛮荆之人，他们对周室有礼仪呢？天子命圭时就下令，称吴国的国君为吴伯但不称吴王，因此诸侯才敢不尊重吴。诸侯不能有两个盟主，周室也不能有两个王，贵国国君假如不鄙视和冒犯天子，而且以吴公自称，我们晋国怎敢不服从他的命令让他做盟主呢！’希望同意。”吴王同意了，于是退兵然后进入幕帐举行盟会。吴王先歃血，晋侯跟在他后面。吴王参加完盟会，越国的名声更大了，吴王恐怕齐、宋两国给他带来危险，便派王孙雒先和勇获带领步兵，以回国路过为理由来到宋国，烧毁了宋国国都北面的外城作为恫吓然后才过境。

越语

勾践灭吴

【原文】

越王勾践栖于会稽之上，乃号令于三军曰："凡我父兄昆弟及国子姓，有能助寡人谋而退吴者，吾与之共知[①]越国之政。"大夫种进对曰："臣闻之贾人，夏则资皮，冬则资絺，旱则资舟，水则资车，以待乏也。夫虽无四方之忧，然谋臣与爪牙之士，不可不养而择也。譬如蓑笠，时雨既至必求之。今君王既栖于会稽之上，然后乃求谋臣，无乃后乎？"勾践曰："苟得闻子大夫之言，何后之有。"执其手而与之谋。

遂使之行成[②]于吴，曰："寡君勾践乏无所使，使其下臣种，不敢彻声[③]闻于天王，私于下执事曰：寡君之师徒不足以辱君矣。愿以金玉、子女赂君之辱；请勾践女女于王，大夫女女于大夫，士女女于士。越国之宝器毕[④]从，寡君帅越国之众，以从君之师徒，唯君左右之。若以越国之罪为不可赦也，将焚宗庙，系妻孥，沈金玉于江，有带甲五千人将以致死，乃必有偶。是以带甲万人事君也，无乃即伤君王之所爱乎？与其杀是人也，宁其得此国也，其孰利乎？"

夫差将欲听与之成，子胥谏曰："不可。夫吴之与越也，仇雠[⑤]敌战之国也。三江环之，民无所移，有吴则无越，有越则无吴，将不可改于是矣。员闻之，陆人居陆，水人居水。夫上党之国，我攻而胜之，吾不能居其地，不能乘其车。夫越国，吾攻而胜之，吾能居其地，吾能乘其舟。此其利也，不可失也已，君必灭之。失此利也，虽悔之，必无及已。”

越人饰美女八人纳之太宰嚭，曰：“子苟赦越国之罪，又有美于此者将进之。”太宰嚭谏曰：“嚭闻古之伐国者，服之而已。今已服矣，又何求焉？”夫差与之成，而去之。勾践说[6]于国人曰：“寡人不知其力之不足也，而又与大国执雠，以暴露百姓之骨于中原，此则寡人之罪也。寡人请更。”于是葬死者，问伤者，养生者，吊有忧，贺有喜，送往者，迎来者，去民之所恶，补民之不足。然后卑事夫差，宦[7]士三百人于吴，其身亲为夫差前马。勾践之地，南至于句无，北至于御儿，东至于鄞，西至于姑蔑，广运百里。

乃致其父母昆弟而誓之曰：“寡人闻，古之贤君，四方之民归之，若水之归下也。今寡人不能，将帅二三子夫妇以蕃。”令壮者无取老妇，令老者无取壮妻。女子十七不嫁，其父母有罪；丈夫二十不娶，其父母有罪。将免者以告，公令医守之。生丈夫，二壶酒，一犬；生女子，二壶酒，一豚。生三人，公与之母；生二人，公与之饩。当室者死，三年释其政；支子[8]死，三月释其政。必哭泣葬埋之，如其子。令孤子、寡妇、疾疹、贫病者，纳宦其子。其达士，絜其居，美其服，饱其食，而摩厉之于义。四方之士来者，必庙礼之。勾践载稻与脂于舟以行，国之孺子之游者，无不铺也，无不歠[9]也，必问其名。非其身之所种则不食，非其夫人之所织则不衣，十年不收于国，民俱有三年之食。

国之父兄请曰：“昔者夫差耻吾君于诸侯之国，今越国亦节矣，请报之。”勾践辞曰：“昔者之战也，非二三子之罪也，寡人之罪也。如寡人者，安与知耻？请姑无庸战。”父兄又请曰：“越四封之内，亲吾君也，犹父母也。子而思报父母之仇，臣而思报君之雠，其有敢不尽力者乎？请复战。”勾践既许之，乃致其众而誓之曰：“寡人闻古之贤君，不患其众之不足也，而患其志行之少耻也。今夫差衣水犀之甲者亿有三千，不患其志行之少耻也，而患其众之不足也。今寡人将助天灭之。吾不欲匹夫之勇也，欲其旅进旅退。进则思赏，退则思刑，如此则有常赏。进不用命，退则无耻，如此则有常刑。”

果行，国人皆劝⑩，父勉其子，兄勉其弟，妇勉其夫，曰：“孰是君也，而可无死乎？”是故败吴于囿，又败之于没，又郊败之。夫差行成，曰：“寡人之师徒，不足以辱君矣。请以金玉、子女赂君之辱。”勾践对曰：“昔天以越予吴，而吴不受命；今天以吴予越，越可以无听天之命，而听君之令乎？吾请达王甬句东，吾与君为二君乎。”夫差对曰：“寡人礼先壹饭矣，君若不忘周室，而为弊邑宸宇，亦寡人之愿也。君若曰：‘吾将残汝社稷，灭汝宗庙。’寡人请死，余何面目以视于天下乎！越君其次也。”遂灭吴。

【注释】

①知：掌管，管理。

②行成：请求和解。

③彻声：大声。

④毕：全部。

⑤仇雠（chóu）：积怨深厚。

⑥说：解释。

⑦宦：仆人。

⑧支子：庶子。

⑨歠（chuò）：同“啜”，供给饮水。

⑩劝：勉励。

【译文】

越王勾践兵败退居在会稽山上，向三军传令说：“凡是我的宗族之内，能帮我谋划打退吴国军队的，我愿意和他一起掌管越国的国政。”大夫文种向前回答说：“我听说做生意的人，夏天就开始储存皮货，冬天就开始储存麻布，旱季就准备舟船，雨季就准备车辆，等待缺货的时候就能卖大价钱。即便平时周边没有敌人来袭，但人才要提前培养。就像蓑衣和笠帽一样，雨季来临就一定会派上用场。现在你退兵到会稽山上，才想起要找寻谋臣，那不是太晚了吗？”勾践说：“如果现在能够听取您的建议，那也不算晚。”拉起他的手便与他商量起来。

越王于是派文种去向吴国求和，说：“我们国家没有人可来，所以派我前来，我不敢当面与你们的国君商谈，所以私底下和他的随从说：我们已经不值得贵国前来讨伐，我们愿意以金钱和美女来讲和；请让勾践的女儿给吴王做女奴，让大夫的女儿给吴国的大夫做女奴，让士的女儿给吴国的士人做女奴。越国所有的财物都给你们，我们国君率领越国的军队，随从吴王的军队，听凭吴王调遣。如果你们坚持认为我们国家不可饶恕，那我们就毁掉宗庙，与亲人同生死，把财宝投入江中。我们有五千士兵会以死抵抗，那一定会一个人等于两个人，那样我国就有一万名士兵了，难道不会误伤吴王的部下吗？与其杀死我们，为何不去拥有一个国家的臣服呢？这两者相比哪个更好呢？”

夫差准备听从文种的话跟越国讲和，伍子胥劝告说：“不行。吴国和越国天生是敌国。三条大江围绕着吴越两国，百姓无处迁移，有吴就没有越，有越就没有吴，这是不能改变的事实。我听说，陆地上的人习惯在陆地上生存，水边的人习惯生存在水边。生活在高地势的诸侯国，即使我们战胜了它们，也不能侵占它们的土地，也不可能乘坐它们的车。而越国，如果我们攻打并战胜它，就能居住它的土地，乘坐它的舟船。这是灭掉越国的好处，不能错失良机，君王一定要灭掉它。这样的机会如果错过了，后悔也来不及了。”

越国人把打扮好的八个美女献给了太宰嚭，说：“如果您可以让吴王宽恕我们的国家，我们会奉献更好的美女给您。”于是太宰嚭劝吴王说：“古代讨伐别的国家，只要它肯降服就可以了。现在越国已经服从，还要求什么呢？”夫差跟越国讲和后，就让文种回去了。勾践对国人说：“我不知道我们的国力不足，却和大国结仇，因此连累百姓曝尸荒野，这是我的罪过，请让我有机会改正。”于是埋葬那些战士，去照顾受伤的人，教诲活着的人，慰问办丧事的人，祝贺有喜事的人，给需要的人帮助，帮迁来的人安排居所，废弃百姓所不喜欢的制度，补充百姓认为不够的规章。然后侍奉夫差，派三百个人去吴国当奴仆，他亲自为夫差开路。当时勾践统治的土地范围，南面到句无，北面到御儿，东面到鄞，西面到姑蔑，方圆只有百里。

勾践召集人们然后发誓说：“我听说，古代的贤君，所有的民众都会归附他，就像水往低处流一样。现在我还做不到，但我会带领你们各家繁衍生息。”所以下命令让壮年男子不能娶老妇，老年的男子不准娶壮妻。如果姑娘十七岁还不嫁人，她的父母就要定罪；小伙二十岁不娶妻，他的父母也要定罪。如果有要生孩子的要报告，公家会派医生守护。如果生了男孩，会赏两壶酒和一条狗；生了女孩就赏两壶酒和一头小猪。如果生三胞胎，公家会供给乳母；如果生双胞胎，公家就会提供食物。如果嫡子死了，就免除徭役三年；如果庶子死了，就免除徭役三个月，而且勾践会亲自参加葬礼，就像对待自己的儿子一样。命令只要是鳏夫、寡妇、有病和贫弱的家庭，就可以由公家供给他们子女生活所需要的费用。会给有才干的人安排整洁的居所，让他们穿上漂亮的衣服，为他们提供美味饮食，磨炼他们，让他们崇尚正义。对各地前来投奔的人们，会在庙堂内以礼相待。勾践还乘坐装有食物的船出行，凡是遇到流浪者，都会给他们食物，并且记下他们的姓名。不是他亲自种的粮食就不会吃；不是他夫人亲自织的布就不去穿。十年内国家都没有收取赋税，百姓家里储备着三年的粮食。

越国的子民向勾践请求说：“过去夫差曾在诸侯面前让您难堪，现在越国已经恢复了国力，我们请求前去报复吴国！”勾践辞谢说：“过去战争失利，那只是我的罪过。像我这样的人，不值得你们和我一起承担耻辱，请先别讨论战事。”父兄们又请求说：“全国的子民，就像爱戴父母一样爱戴您。儿子会想着为他们的父母报仇，臣下想着为国君报仇，全都会尽心竭力！请再跟吴国打一仗。”于是勾践就答应了他们的请求，并且召集国人发誓说：“我听说古代的明君，不会担心他的军队不够，而担心他本人的品行不够高尚。现在夫差拥有十万三千人的军队，不担心自己的品行不够高尚，却还在担心他的军队人数不够。现在我将帮助上天毁灭它。我不想要有勇无谋的士兵，而是希望大家保持步调一致，一起行动。前进就会想到奖赏，后退就会想到惩罚，这样才会经常得到赏赐。前进时如果不听从命令，后退时如果不知道羞耻，这样就会经常得到惩罚。”

军队出发后，国人都彼此鼓励。父亲鼓励儿子，哥哥鼓励弟弟，妻子鼓励丈夫，大家说：“我们拥有这样好的君主，怎么能不为了他而奋力作战呢？”后来在囿打败了吴军，又在没打败了吴军，最后在郊外第三次打败了吴军。夫差派人前去请求讲和，说：“现在我的军队已经不值得您亲自讨伐了，请允许我用财物和美人给您赔罪。”勾践回答说：“以前上天把越国赐给吴国，但吴国没有接受；如今上天又把吴国赐给越国，难道我要违背天命，去听从你的命令吗？我会将你送到甬句东，与你共同执政。”夫差回答说：“从礼上说，以前我曾有恩于越国，您如果没有忘记周王室那一点情面，就请您给吴国留下一点落脚之地吧，那是我的愿望。您假如说：‘我会摧毁你的社稷，毁掉你的宗庙。’我就只想求一死，我已经没有脸让天下人笑话了！您带领军队攻占吴国吧。”最后越国灭了吴国。

范蠡进谏勾践持盈定倾节事

【原文】

越王勾践即位三年而欲伐吴，范蠡进谏曰：“夫国家之事，有持盈[1]，有定倾，有节事。”王曰：“为三者，奈何？”范蠡对曰：“持盈者与天，定倾者与人，节事者与地。王不问，蠡不敢言。天道盈而不溢，盛而不骄，劳而不矜[2]其功。夫圣人随时以行，是谓守时。天时不作，弗为人客；人事不起，弗为之始。今君王未盈而溢，未盛而骄，不劳而矜其功，天时不作而先为人客，人事不起而创为之始，此逆于天而不和于人。王若行之，将妨于国家，靡王躬身。”王弗听。

范蠡进谏曰：“夫勇者，逆[3]德也；兵者，凶器也；争者，事之末也。逆谋阴德，好用凶器，始于人者，人之所卒也。淫佚之事，上帝之禁也。先行此者，不利。”王曰：“无是贰言也，吾已断之矣！”果兴师而伐吴，战于五湖，不胜，栖于会稽。

王召范蠡而问焉，曰：“吾不用子之言，以至于此，为之奈何？”范蠡对曰：“君王其忘之乎？持盈者与天，定倾者与人，节事者与地。”王曰：“与人奈何？”范蠡对曰：“卑辞尊礼，玩好女乐，尊之以名，如此不已，又身与之市。”王曰：“诺。”乃令大夫种行成于吴，曰：“请士女女于士，大夫女女于大夫，随之以国家之重器。”吴人不许。大夫种来而复往，曰：“请委管籥，属[4]国家，以身随之，君王制[5]之。”吴人许诺。王曰：“蠡为我守于国。”范蠡对曰：“四封之内，百姓之事，蠡不如种也。四封之外，敌国之制，立断之事，种亦不如蠡也。”王曰：“诺。”令大夫种守于国，与范蠡入宦于吴。

三年，而吴人遣之归。及至于国，王问于范蠡曰：“节事奈何？”范蠡对曰：“节事者与地。惟地能包万物以为一，其事不失。生万物，容畜禽兽，然后受其名而兼其利。美恶皆成，以养其生。时不至，不可强生；事不究，不可强成。自若以处，以度天下。待其来者而正之，因时之所宜而定之。同男女之功，除民之害，以避天殃。田野开辟，府仓实，民众殷。无旷其众，以为乱梯。时将有反，事将有间，必有以知天地之恒制⑥，乃可以有天下之成利。事无间，时无反，则抚民保教以须⑦之。”

王曰：“不谷之国家，蠡之国家也，蠡其图之！”范蠡对曰：“四封之内，百姓之事，时节三乐，不乱民功⑧，不逆天时，五谷睦熟，民乃蕃滋，君臣上下交得其志，蠡不如种也。四封之外，敌国之制，立断之事，因阴阳之恒，顺天地之常，柔而不屈，强而不刚，德⑨虐之行，因以为常；死生因天地之刑，天因人，圣人因天；人自生之，天地形之，圣人因而成之。是故战胜而不报，取地而不反，兵胜于外，福生于内，用力甚少，而名声章明，种亦不如蠡也。”王曰：“诺。”令大夫种为之。

【注释】

①持盈：保持国家强盛的局面。

②矜：夸耀。

③逆：违反，悖论。

④属：托付。

⑤制：安排，裁制。

⑥恒制：常发。

⑦须：等待。

⑧民功：指农事。

⑨德：奖赏。

【译文】

勾践在继承王位后的第三年想去攻打吴国。范蠡劝诫说：“治理国家要注意三件事：国家强盛时要保持下去；国家有危难时要想办法转危为安；平时处理国务要得当。”越王问：“要如何做到这三点呢？”回答说：“想保持国家强盛就要顺从天道，想让国家转危为安就要顺从人道，想要妥善处理国务就要顺从地道。您不问我，我便不敢说。天道要求我们盈满而不过分，气盛而不骄傲，辛劳而不自己夸赞有功。圣人顺从天时行事，这叫作守时。如果对方没有天灾，就不要发动战争；如果对方没有人祸，那就不要挑起事端。如今君王还没有等到国家富足，就要采取这样过分的举动；还没有等到国势强盛起来，就开始骄傲；没有辛劳，就开始夸耀自己的功劳；对方没有天灾，也没有人祸，就要挑起事端。这会违背天意，从而失去人和。君王如果要那么做，一定会危害到国家，伤害到自身。”越王不肯听范蠡的话。

范蠡又劝诫说：“野蛮是违反道德的行为；用于进攻的兵器是不吉利的器物；战争只是没有办法时才用的手段。阴谋喜欢做不道德的事情，并且使用不吉利的器物，先向别人挑起事端的人，最终总要反被人所害。过分的事情是上天不允许的。先挑起战争，就不会有好的结果。”越王说：“不要再说了，我已经决定好了！”越王去攻打吴国，结果在五湖的战争中打了败仗，退守到会稽山上。越王召见范蠡并询问他，说：“当初我没有听你的话，以至于到了现在的地步，我该怎么办呢？”范蠡答道：“您难道忘了吗？想要保持强盛就要顺应天道，想要转危为安就要顺从人道，想要稳妥地处理国务就要顺从地道。”越王问：“要如何做到顺从人道呢？”范蠡回答说：“要用十分谦卑的辞令和恭敬的礼节，带上财物和美人，向吴王求和，用高贵的名号赞扬他。如果不行，那君王就要亲自去做吴王的奴仆。”越王说：“好吧。”

于是派大夫文种去吴国求和，说：“我国愿意让士人的女儿给贵国的士做女奴，大夫的女儿给贵国的大夫做女奴，并且把国内最贵重的宝物献上。”吴国没同意。文种回去汇报后又去求和，说：“越王愿意将国库的锁钥交出来，把整个国家也交托给贵国，自己亲自到吴国听凭吴王处置。”吴国同意了。越王对范蠡说：“你替我看守着国家吧。”范蠡回答说：“在国内，管理百姓的事情，我赶不上文种。在国外，攻打敌国，文种却比不过我。”越王说：“好吧。”于是让文种留在越国，带着范蠡去给吴王做臣仆。

三年后，吴王打发他们回国。回到越国后，越王立即向范蠡请教说：“要如何妥善处理政事呢？”范蠡回答说：“处理政事要顺从地道。只有大地才能包容万物，让它们成为一体，才不会失去时机。大地生长万物，畜养走兽飞禽，然后获得名声和利益。凡是不管好坏，都要培养它成长以养活人命。时令不到，就不能勉强让其生长；功夫不够，就不能勉强成事。顺其自然，掌握天下大势，然后等待时机到来，加以扶正，才能在合适的时候让天下稳定。君王要同百姓一起从事耕织，消除百姓的祸患，防止上天降下灾祸。而且要开垦荒地，充实粮仓，让百姓得以富足。不能让民众废弃作业，造成祸患。天时将会有转变，吴国的事情如果有可乘之机，只有懂天地的常规，才能获得利益。假如吴国的事情一时间还没有可乘之机，那是因为天时还没有开始转变，君王就应专心安抚和教育百姓，等待时机行事。”

越王说：“我的国家就是你的国家，请你详细地策划吧！”范蠡回答：“在国内，那些管理百姓的事，如限制春、夏、秋三季的活动，不要扰乱农事，不要违反天时，使得五谷丰登，人口变多，让全国上下都感到满意，这些事文种比我强。在国外，对付敌国，决定大事，顺应常规，要做到柔顺却不屈服，坚强却不僵硬。赏罚要以天地为常法，生杀要以天地为准则。天根据人，圣人根据天。人如何行动，天地就会显示同样的征兆，圣人依照天地的征兆去完成大事。因此能够战胜敌人不会被报复，侵占敌人的土地而不会被夺回；军队取得胜利，会给国内带来益处，而关于名声的事，文种却比不上我。”越王说：“那好吧。”于是让文种管理内政。